CHATEA

PAGES CHOISIES

AVEC UNE NOTICE BIOGRAPHIQUE, DES NOTICES LITTÉRAIRES ET DES NOTES EXPLICATIVES PAR

FERNAND FLUTRE,
ANCIEN ÉLÈVE DE L'ÉCOLE NORMALE SUPÉRIEURE,
AGRÉGÉ, DOCTEUR ÈS LETTRES

CLASSIQUES ILLUSTRÉS VAUBOURDOLLE
LIBRAIRIE HACHETTE
79, BOULEVARD SAINT-GERMAIN, PARIS

BIBLIOGRAPHIE

ÉDITIONS.

Œuvres complètes (sauf les *Mémoires d'Outre-Tombe*) : éd. Ladvocat 1826-31, 31 vol. in-8°; éd. Garnier, 1859-61, 12 vol. in-8°; éd. Furne (la meilleure), 1875, 12 vol. in-8°.

Mémoires d'Outre-Tombe : éd. Ch. Lenormand et Danielo, Bruxelles, 1849-1850, 12 vol.; éd. Biré (excellente), Garnier, 1890, 6 vol. in-8°.

Correspondance : éd. Thomas, en cours de publication, Champion, 4 vol.

Morceaux choisis : éd. Brunetière (Hachette), Victor Giraud (Hachette).

ÉTUDES BIOGRAPHIQUES ET CRITIQUES.

Sainte-Beuve : *Chateaubriand et son groupe littéraire sous l'Empire*, 1861.

Faguet : *Études littéraires, XIXe siècle*, 1887.

De Lescure : *Chateaubriand*, Hachette, 1892 (Coll. des Grands écrivains français).

Bardoux : *Chateaubriand*, Lecène et Oudin (Coll. des classiques populaires), 1893.

Berlin : *La Sincérité religieuse de Chateaubriand*, Lecoffre, 1900.

Biré : *Les dernières années de Chateaubriand*, Garnier, 1902.

Bédier : *Chateaubriand en Amérique*, dans *Études critiques*, Colin, 1903.

V. Giraud : *Chateaubriand. Études littéraires*, Hachette, 1904.

V. Giraud : *Nouvelles études sur Chateaubriand*, id., 1912.

V. Giraud : *Le Christianisme de Chateaubriand*, 2 vol., Hachette.

H. Bérenger : *Chateaubriand héros de l'aventure romantique*, Hachette.

Cassagne : *La Vie politique de Chateaubriand*, Plon, 1911.

Jules Lemaître : *Chateaubriand*, 1912.

Maurice Levaillant : *Splendeurs et misères de M. de Chateaubritand*, 1922.

Martial-Piéchaud : *Ainsi vécu Chateaubriand*, Hachette, 1951.

VIE DE CHATEAUBRIAND

1768-1848

ENFANCE ET ADOLESCENCE (1768-1786). — François-Auguste de Chateaubriand naquit à Saint-Malo, le 4 septembre 1768, dernier de dix enfants. Ses premières années se passèrent à Plancoët, chez sa grand-mère, et à Saint-Malo, où il vagabondait au bord de la mer. Il fit ses études aux collèges de Dol, de Rennes et de Dinan, se montrant écolier intelligent, mais très indépendant. A dix-sept ans, il revint chez ses parents, à Combourg; et là, dans le morne manoir, dans le décor austère des bruyères et des forêts, il passa avec sa sœur Lucile deux années de mélancolie et d'exaltation. Puis, pourvu d'un brevet de sous-lieutenant au régiment de Navarre, il alla tenir garnison à Cambrai au début de 1786. Quelques mois après, la mort de son père le rappelait à Combourg.

SÉJOUR A PARIS (1786-1791). — Au lieu de retourner à Cambrai, Chateaubriand alla à Paris, où il obtint le brevet de capitaine de cavalerie, et où, par son frère, le comte de Chateaubriand, et sa sœur Julie, Mme de Farcy, il fut présenté à la cour. Mais il fréquenta surtout les gens de lettres, se lia avec les principaux écrivains de l'époque et publia ses premiers vers dans l'*Almanach des Muses* (1789).

VOYAGE EN AMÉRIQUE (1791-1792). — Tenté par la gloire des grands explorateurs, il songea à chercher un nouveau passage au Nord de l'Amérique et s'embarqua à Saint-Malo le 8 avril 1791. Il revint brusquement, en janvier 1792, à la nouvelle de l'arrestation du roi à Varennes. Il n'avait pas eu le temps de parcourir toutes les régions de l'Amérique qu'il a décrites dans ses ouvrages, mais il rapportait une provision d'impressions et de couleurs qui devait enrichir pour un siècle notre littérature. A son retour, il se maria et alla rejoindre l'armée des émigrés.

L'EXIL A LONDRES (1793-1800). — Blessé au siège de Thionville, il se réfugia à Bruxelles, puis à Londres. Il y connut la misère, donna des leçons pour vivre, fit des traductions. C'est à Londres qu'il publia son premier ouvrage, l'*Essai sur les Révolutions* (1797), livre imprégné de scepticisme et d'amertume, et d'esprit fort peu chrétien. La mort de sa mère opéra en lui une sorte de conversion. Le dernier vœu de Mme de Chateaubriand avait été que son fils revînt à la religion de son enfance; la grâce le toucha : " J'ai pleuré et j'ai cru ", écrivit-il plus tard. Dès lors il conçut le plan d'une apologie de la religion chrétienne.

LES GRANDES ŒUVRES (1800-1814). — Ayant obtenu d'être rayé de la liste des émigrés, Chateaubriand rentra en France en 1800. *Atala*, en 1801, le *Génie du Christianisme*, en 1802, le rendirent célèbre. Napoléon, désireux de s'attacher un homme qui servait si bien ses desseins de restauration morale et sociale, le nomma secrétaire d'ambassade à Rome (1803), puis ministre plénipotentiaire dans le Valais (1804). Après l'exécution du duc d'Enghien, Chateaubriand donna sa démission et, pour étudier les pays où il voulait placer l'action de son futur ouvrage, *les Martyrs*, il entreprit un long voyage en Orient. *Les Martyrs* parurent en 1809, et l'*Itinéraire de Paris à Jérusalem* en 1811.

LA VIE POLITIQUE (1814-1830). — A la chute de Napoléon, Chateaubriand publia, en faveur de la royauté, une brochure intitulée : *De Buonaparte et des Bourbons*, qui eut un grand retentissement. Il suivit Louis XVIII à Gand pendant les Cent Jours, comme ministre de l'Intérieur. Il fut ensuite nommé pair de France, fut envoyé comme ambassadeur à Berlin (1821), puis à Londres (1822), représenta la France au Congrès de Vérone (1822) et devint ministre des Affaires étrangères en 1824. Ambassadeur à Rome en 1827, il donna sa démission en 1829, à l'avènement du ministère Polignac. En 1830, il refusa de se rallier au gouvernement de Louis-Philippe.

DERNIÈRES ANNÉES (1830-1848). — En 1826, Chateaubriand avait publié l'édition complète de ses œuvres, où parurent pour la première fois les *Aventures du dernier Abencérage*, les *Voyages en Italie*, *au Mont-Blanc*, *en Amérique*, *les Natchez*, etc. En 1831, il publia des *Études historiques*, en 1836 un *Essai sur la littérature anglaise* et la traduction du *Paradis perdu* de Milton, en 1838, le *Congrès de Vérone*, en 1844, la *Vie de Rancé*. Puis il s'attacha à ses *Mémoires d'outre-tombe*, commencés dès 1811 et sans cesse retouchés jusqu'en 1846. Ses dernières années furent entourées de l'affection de Mme Récamier, qui adoucit la fin morose de cette brillante existence. Il mourut à Paris le 4 juillet 1848. Il fut enterré, comme il l'avait demandé, en face de Saint-Malo, sa ville natale, dans l'îlot du Grand-Bé.

ATALA

1801

Esquissée en Amérique dès 1791, destinée primitivement à former un épisode des *Natchez*, puis incorporée au *Génie du Christianisme* où elle figura avec *René* pendant plus de vingt ans (6e livre de la 3e partie), l'histoire d'*Atala* a été publiée à part en 1801, un an avant le *Génie du Christianisme*, probablement pour sonder et intéresser l'opinion publique. Le succès en fut très grand : cinq éditions successives parurent en moins d'un an. Du premier coup Chateaubriand entrait dans la gloire.

LE MESCHACEBÉ

Le prologue débute par une description de l'Amérique du Nord et du principal de ses fleuves, le Meschacebé ou Mississipi.

... Ce fleuve, dans un cours de plus de mille lieues, arrose une délicieuse contrée que les habitants des États-Unis appellent le *Nouvel Éden*, et à laquelle les Français ont laissé le doux nom de *Louisiane*[1]. Mille autres fleuves, tributaires du Meschacebé, le Missouri, l'Illinois, l'Akanza, l'Ohio, le Wabache, le Tenase, l'engraissent de leur limon et la fertilisent de leurs eaux. Quand tous ces fleuves se sont gonflés des déluges de l'hiver; quand les tempêtes ont abattu des pans entiers de forêts, les arbres déracinés s'assemblent sur les sources. Bientôt les vases les cimentent, les lianes les enchaînent; et des plantes, y prenant racine de toutes parts, achèvent de consolider ces débris. Charriés par les vagues écumantes, ils descendent au Meschacebé : le fleuve s'en empare, les pousse au golfe Mexicain, les échoue sur des bancs de sable, et accroît ainsi le nombre de ses embouchures. Par intervalle, il élève sa voix en passant sous les monts, et répand ses eaux débordées autour des colonnades des forêts et des pyramides des tombeaux indiens; c'est le Nil des déserts. Mais la grâce est toujours unie à la magnificence dans les scènes

1. *Louisiane*, nom donné à cette région, en l'honneur de Louis XIV, par Cavelier de la Salle, qui l'explora en 1682.

de la nature : tandis que le courant du milieu entraîne vers la mer les cadavres des pins et des chênes, on voit sur les deux courants latéraux remonter, le long des rivages[1], des îles flottantes de pistia[2] et de nénuphar, dont les roses jaunes s'élèvent comme de petits pavillons. Des serpents verts, des hérons bleus, des flamants roses, de jeunes crocodiles s'embarquent passagers sur ces vaisseaux de fleurs; et la colonie, déployant au vent ses voiles d'or, va aborder endormie dans quelque anse retirée du fleuve.

Les deux rives du Meschacebé présentent le tableau le plus extraordinaire. Sur le bord occidental, des savanes[3] se déroulent à perte de vue; leurs flots de verdure, en s'éloignant, semblent monter dans l'azur du ciel, où ils s'évanouissent. On voit dans ces prairies sans bornes errer à l'aventure des troupeaux de trois ou quatre mille buffles sauvages. Quelquefois un bison chargé d'années, fendant les flots à la nage, se vient coucher, parmi de hautes herbes, dans une île du Meschacebé. A son front orné de deux croissants, à sa barbe antique et limoneuse, vous le prendriez pour le dieu du fleuve[4], qui jette un œil satisfait sur la grandeur de ses ondes et la sauvage abondance de ses rives.

Telle est la scène sur le bord occidental; mais elle change sur le bord opposé, et forme avec la première un admirable contraste. Suspendus sur le cours des eaux, groupés sur les rochers et sur les montagnes, dispersés dans les vallées, des arbres de toutes les formes, de toutes les couleurs, de tous les parfums, se mêlent, croissent ensemble, montent dans les airs à des hauteurs qui fatiguent les regards. Les vignes sauvages, les bignonias[5], les coloquintes[6] s'entrelacent au pied de ces arbres, escaladent leurs rameaux, grimpent à l'extrémité des branches, s'élancent de l'érable au tulipier[7], du tulipier à l'alcée[8], en formant mille grottes, mille voûtes, mille portiques. Souvent égarées d'arbre en arbre, ces lianes traversent des bras de rivières, sur lesquelles elles jettent des ponts de fleurs. Du sein de ces massifs, le magnolia[9] élève son cône immobile; surmonté de ses larges roses blanches, il domine toute la forêt, et n'a d'autre rival que le palmier, qui balance légèrement auprès de lui ses éventails de verdure.

1. *Rivages*, au lieu de *rives*, parce que le fleuve ressemble à une mer. — 2. *Pistia* : plante aquatique à larges feuilles. — 3. *Savanes* : vastes prairies couvertes d'herbes. — 4. Les anciens représentaient les fleuves sous la forme d'un taureau ou d'un homme au front orné de cornes. — 5. *Bignonias* : sorte de grandes lianes. — 6. *Coloquintes* : plantes du genre concombre, à fleur jaune et à fruit verdâtre de la grosseur d'une orange, dont l'intérieur est garni d'une pulpe blanche. — 7. *Tulipier* : arbre du genre magnolia, dont la fleur ressemble à une tulipe. — 8. *Alcée* : rose trémière. — 9. *Magnolia* : arbre à feuillage lustré et à fleurs éclatantes.

Une multitude d'animaux placés dans ces retraites par la main du Créateur y répandent l'enchantement et la vie. De l'extrémité des avenues on aperçoit des ours enivrés de raisins, qui chancellent sur les branches des ormeaux; des cariboux[1] se baignent dans un lac; des écureuils noirs se jouent dans l'épaisseur des feuillages; des oiseaux-moqueurs[2], des colombes de Virginie, de la grosseur d'un passereau, descendent sur les gazons rougis par les fraises; des perroquets verts à tête jaune, des piverts[3] empourprés, des cardinaux[4] de feu grimpent en circulant au haut des cyprès; des colibris étincellent sur le jasmin des Florides, et des serpents-oiseleurs[5] sifflent suspendus aux dômes des bois en s'y balançant comme des lianes.

Si tout est silence et repos dans les savanes de l'autre côté du fleuve, tout ici, au contraire, est mouvement et murmure : des coups de bec contre le tronc des chênes, des froissements d'animaux qui marchent, broutent ou broient entre leurs dents les noyaux des fruits; des bruissements d'ondes, de faibles gémissements, de sourds meuglements, de doux roucoulements remplissent ces déserts d'une tendre et sauvage harmonie. Mais quand une brise vient à animer ces solitudes, à balancer ces corps flottants, à confondre ces masses de blanc, d'azur, de vert, de rose; à mêler toutes les couleurs, à réunir tous les murmures : alors il sort de tels bruits du fond des forêts, il se passe de telles choses aux yeux, que j'essayerais en vain de les décrire à ceux qui n'ont point parcouru ces champs primitifs de la nature.

L'Indien Chactas, âgé d'une vingtaine d'années, est fait prisonnier par une tribu ennemie de la sienne. Il va être brûlé vif, mais une jeune Indienne, Atala, s'éprend de lui et le délivre dans la nuit qui précède le iour où il va être sacrifié. Les deux jeunes gens fuient à travers la savane où ils ont pu se dérober aux recherches des " chasseurs " indiens.

UNE NUIT DANS LA FORÊT VIERGE

La nuit était délicieuse. Le génie des airs secouait sa chevelure bleue, embaumée de la senteur des pins, et l'on respirait la faible odeur d'ambre qu'exhalaient les crocodiles couchés sous les tamarins[6] des fleuves. La lune brillait au milieu d'un azur sans tache, et sa lumière gris de perle descendait sur la cime indéterminée

1. *Cariboux* : élans, rennes. — 2. *Oiseaux-moqueurs* : sorte de merles. — 3. *Piverts* : oiseaux du genre pic, à plumage jaune et vert. — 4. *Cardinaux* : oiseaux à plumage rouge. — 5. *Serpents-oiseleurs* : serpents qui fascinent les oiseaux pour s'en emparer et s'en nourrir. — 6. *Tamarins* : arbrisseaux de la famille des légumineuses, dont le fruit est une gousse à pulpe laxative.

des forêts. Aucun bruit ne se faisait entendre, hors je ne sais quelle harmonie lointaine qui régnait dans la profondeur des bois : on eût dit que l'âme de la solitude soupirait dans toute l'étendue du désert.

LE REPOS DANS LA SAVANE

Souvent, dans les grandes chaleurs du jour, nous cherchions un abri sous les mousses des cèdres. Presque tous les arbres de la Floride, en particulier le cèdre et le chêne vert, sont couverts d'une mousse blanche qui descend de leurs rameaux jusqu'à terre. Quand la nuit, au clair de la lune, vous apercevez, sur la nudité d'une savane, une yeuse[1] isolée revêtue de cette draperie, vous croiriez voir un fantôme traînant après lui ses longs voiles. La scène n'est pas moins pittoresque au grand jour; car une foule de papillons, de mouches brillantes, de colibris, de perruches vertes, de geais d'azur, vient s'accrocher à ces mousses, qui produisent alors l'effet d'une tapisserie en laine blanche, où l'ouvrier européen aurait brodé des insectes et des oiseaux éclatants.

C'était dans ces riantes hôtelleries, préparées par le Grand Esprit[2], que nous nous reposions à l'ombre, lorsque les vents descendaient du ciel pour balancer ce grand cèdre; que le château aérien bâti sur ses branches allait flottant avec les oiseaux et les voyageurs endormis sous ses abris; que mille soupirs sortaient des corridors et des voûtes du mobile édifice : jamais les merveilles de l'ancien monde n'ont approché de ce monument du désert.

Chaque soir nous allumions un grand feu, et nous bâtissions la hutte du voyage, avec une écorce élevée sur quatre piquets. Si j'avais tué une dinde sauvage, un ramier, un faisan des bois, nous le suspendions, devant le chêne embrasé, au bout d'une gaule plantée en terre, et nous abandonnions au vent le soin de tourner la proie du chasseur. Nous mangions des mousses appelées *tripes de roches*, des écorces sucrées de bouleau, et des pommes de mai, qui ont le goût de la pêche et de la framboise. Le noyer noir, l'érable, le sumac[3] fournissaient le vin à notre table. Quelquefois, j'allais chercher, parmi les roseaux, une plante dont la fleur, allongée en cornet, contenait un verre de la plus pure rosée. Nous bénissions la Providence, qui, sur la faible tige d'une fleur, avait placé cette source limpide au milieu des marais corrompus, comme elle a mis l'espérance au fond des cœurs ulcérés par le chagrin, comme elle a fait jaillir la vertu du sein des misères de la vie !

1. *Yeuse* : chêne vert. — 2. *Le Grand Esprit* : Dieu. — 3. *Sumac* : plante de la famille des térébinthes.

L'ORAGE DANS LA SAVANE

C'était le vingt-septième soleil[1] depuis notre départ des cabanes : la *lune de feu*[2] avait commencé son cours, et tout annonçait un orage. Vers l'heure où les matrones indiennes suspendent la crosse du labour[3] aux branches du savinier[4] et où les perruches se retirent dans le creux des cyprès, le ciel commença à se couvrir. Les voix de la solitude s'éteignirent, le désert fit silence, et les forêts demeurèrent dans un calme universel. Bientôt les roulements d'un tonnerre lointain, se prolongeant dans ces bois aussi vieux que le monde, en firent sortir des bruits sublimes. Craignant d'être submergés, nous nous hâtâmes de gagner le bord du fleuve[5], et de nous retirer dans une forêt.

Ce lieu était un terrain marécageux. Nous avancions avec peine sous une voûte de smilax[6], parmi des ceps de vigne, des indigos[7], des faséoles[8], des lianes rampantes, qui entravaient nos pieds comme des filets. Le sol spongieux tremblait autour de nous, et à chaque instant nous étions près d'être engloutis dans des fondrières. Des insectes sans nombre, d'énormes chauves-souris nous aveuglaient; les serpents à sonnettes bruissaient de toutes parts; et les loups, les ours, les carcajous[9], les petits tigres, qui venaient se cacher dans ces retraites, les remplissaient de leurs rugissements.

Cependant l'obscurité redouble : les nuages abaissés entrent sous l'ombrage des bois. La nue se déchire, et l'éclair trace un rapide losange de feu. Un vent impétueux, sorti du couchant, roule les nuages sur les nuages; les forêts plient; le ciel s'ouvre coup sur coup; et, à travers ces crevasses, on aperçoit de nouveaux cieux et des campagnes ardentes. Quel affreux, quel magnifique spectacle ! La foudre met le feu dans les bois; l'incendie s'étend comme une chevelure de flammes; des colonnes d'étincelles et de fumée assiègent les nues, qui vomissent leurs foudres dans le vaste embrasement. Alors le Grand Esprit couvre les montagnes d'épaisses ténèbres; du milieu de ce vaste chaos s'élève un mugissement confus formé par le fracas des vents, le gémissement des arbres, le hurlement des bêtes féroces, le bour-

1. *Le 27e soleil* : le 27e jour. Style indien. — 2. *La lune de feu* : le mois de juillet. — 3. *La crosse du labour* : le morceau de bois recourbé qui sert de charrue. — 4. *Savinier* : sorte de genévrier. — 5. Atala et Chactas descendaient en canot le cours du Tenase. — 6. *Smilax* : arbuste épineux et grimpant, du genre salsepareille. — 7. *Indigos* : arbustes produisant une matière colorante bleu violet. — 8. *Faséoles* : légumineuses du genre fève ou haricot. — 9. *Carcajous* : espèce de chats-tigres ou de grands chats sauvages.

donnement de l'incendie, et la chute répétée du tonnerre, qui siffle en s'éteignant dans les eaux.

Chactas et Atala trouvent sous un grand arbre un abri contre cette violente tempête. Atala raconte qu'elle n'est pas la fille d'un Indien, mais d'un Espagnol nommé Lopez, et qu'elle est chrétienne. Tout à coup une cloche se fait entendre, un chien accourt en aboyant, un missionnaire, le Père Aubry, prend sous sa protection les deux fugitifs et leur donne asile dans sa grotte.

Le lendemain, le Père Aubry emmène Chactas visiter le village de la mission. A leur retour, ils trouvent Atala mourante. Elle leur raconte le secret de sa vie et de sa mort. Sa mère lui avait fait jurer de ne pas se marier et de se consacrer à Dieu. Mais Chactas est venu, et elle l'aime. Pour ne pas être infidèle à son serment, elle s'est empoisonnée. Elle ne savait pas, la malheureuse, que le suicide est un aussi grand crime que le parjure, et que l'évêque de Québec pouvait la relever de son serment.

MORT D'ATALA

... Les ombres de la mort se répandirent autour de ses yeux et de sa bouche; ses doigts errants cherchaient à toucher quelque chose; elle conversait tout bas avec des esprits invisibles.

Bientôt, faisant un effort, elle essaya, mais en vain, de détacher de son cou le petit crucifix; elle me pria de le dénouer moi-même, et elle me dit :

" Quand je te parlai pour la première fois, tu vis cette croix briller à la lueur du feu sur mon sein; c'est le seul bien que possède Atala. Lopez, ton père et le mien[1], l'envoya à ma mère peu de jours après ma naissance. Reçois donc de moi cet héritage, ô mon frère, conserve-le en mémoire de mes malheurs. Tu auras recours à ce Dieu des infortunés dans les chagrins de ta vie. Chactas, j'ai une dernière prière à te faire. Ami, notre union aurait été courte sur la terre, mais il est après cette vie une plus longue vie. Qu'il serait affreux d'être séparé de toi pour jamais ! Je ne fais que te devancer aujourd'hui, et je te vais attendre dans l'empire céleste. Si tu m'as aimée, fais-toi instruire dans la religion chrétienne, qui préparera notre réunion. Elle fait sous tes yeux un grand miracle, cette religion, puisqu'elle me rend capable de te quitter, sans mourir dans les angoisses du désespoir. Cependant, Chactas, je

1. Chactas donnait le nom de *père* à Lopez, qui avait été son bienfaiteur avant qu'il rencontrât Atala.

ne veux de toi qu'une simple promesse, je sais trop ce qu'il en coûte, pour te demander un serment. Peut-être ce vœu te séparerait-il de quelque femme plus heureuse que moi.... O ma mère ! pardonne à ta fille. O Vierge ! retenez votre courroux. Je retombe dans mes faiblesses, et je te dérobe, ô mon Dieu ! des pensées qui ne devraient être que pour toi. ”

Navré[1] de douleur, je promis à Atala d'embrasser un jour la religion chrétienne. A ce spectacle, le Solitaire, se levant d'un air inspiré, et étendant les bras vers la voûte de la grotte : “ Il est temps, s'écria-t-il, il est temps d'appeler Dieu ici ! ”

A peine a-t-il prononcé ces mots, qu'une force surnaturelle me contraint de tomber à genoux et m'incline la tête au pied du lit d'Atala. Le prêtre ouvre un lieu secret où était enfermée une urne d'or couverte d'un voile de soie; il se prosterne et adore profondément. La grotte parut soudain illuminée; on entendit dans les airs les paroles des anges et les frémissements des harpes célestes; et lorsque le Solitaire tira le vase sacré de son tabernacle, je crus voir Dieu lui-même sortir du flanc de la montagne.

Le prêtre ouvrit le calice; il prit entre ses deux doigts une hostie blanche comme la neige, et s'approcha d'Atala en prononçant des mots mystérieux. Cette sainte avait les yeux levés au ciel, en extase. Toutes ses douleurs parurent suspendues, toute sa vie se rassembla sur sa bouche; ses lèvres s'entrouvrirent, et vinrent avec respect chercher le Dieu caché sous le pain mystique. Ensuite le divin vieillard trempe un peu de coton dans une huile consacrée; il en frotte les tempes d'Atala, il regarde un moment la fille mourante, et tout à coup ces fortes paroles lui échappent : “ Partez, âme chrétienne, allez rejoindre votre Créateur[2] ! ” Relevant alors ma tête abattue, je m'écriai en regardant le vase où était l'huile sainte : “ Mon père, ce remède rendra-t-il la vie à Atala ? — Oui, mon fils, dit le vieillard en tombant dans mes bras, la vie éternelle ! ” Atala venait d'expirer....

Les Funérailles.

Nous convînmes que nous partirions le lendemain au lever du soleil pour enterrer Atala sous l'arche du pont naturel, à l'entrée des Bocages de la mort[3]. Il fut aussi résolu que nous passerions la nuit en prière auprès du corps de cette sainte.

Vers le soir, nous transportâmes ses précieux restes à une

1. *Navré* : blessé, transpercé (sens étymologique). — 2. Paroles tirées des prières pour les agonisants : *Proficiscere, anima christiana*, etc. Le P. Aubry vient de donner à la mourante le viatique et l'Extrême-Onction. — 3. *Les Bocages de la mort* : le cimetière.

ouverture de la grotte qui donnait vers le Nord. L'ermite les avait roulés dans une pièce de lin d'Europe, filé par sa mère : c'était le seul bien qui lui restât de sa patrie, et depuis longtemps il le destinait à son propre tombeau. Atala était couchée sur un gazon de sensitives[1] des montagnes; ses pieds, sa tête, ses épaules et une partie de son sein étaient découverts. On voyait dans ses cheveux une fleur de magnolia[2] fanée.... Ses lèvres, comme un bouton de rose cueilli depuis deux matins, semblaient languir et sourire. Dans ses joues d'une blancheur éclatante, on distinguait quelques veines bleues. Ses beaux yeux étaient fermés, ses pieds modestes étaient joints, et ses mains d'albâtre pressaient sur son cœur un crucifix d'ébène; le scapulaire[3] de ses vœux était passé à son cou. Elle paraissait enchantée[4] par l'Ange de la mélancolie, et par le double sommeil de l'innocence et de la tombe. Je n'ai rien vu de plus céleste. Quiconque eût ignoré que cette jeune fille avait joui de la lumière, aurait pu la prendre pour la statue de la Virginité endormie.

Le religieux ne cessa de prier toute la nuit. J'étais assis en silence au chevet du lit funèbre de mon Atala. Que de fois, durant son sommeil, j'avais supporté sur mes genoux cette tête charmante. Que de fois je m'étais penché sur elle, pour entendre et pour respirer son souffle ! Mais à présent aucun bruit ne sortait de ce sein immobile, et c'était en vain que j'attendais le réveil de la beauté !

La lune prêta son pâle flambeau à cette veillée funèbre. Elle se leva au milieu de la nuit, comme une blanche vestale[5] qui vient pleurer sur le cercueil d'une compagne. Bientôt elle répandit dans les bois ce grand secret de mélancolie, qu'elle aime à raconter aux vieux chênes et aux rivages antiques des mers. De temps en temps, le religieux plongeait un rameau fleuri dans une eau consacrée[6] puis, secouant la branche humide, il parfumait la nuit des baumes du ciel. Parfois il répétait sur un air antique quelques vers d'un vieux poète nommé Job; il disait :

" J'ai passé comme une fleur : j'ai séché comme l'herbe des champs[7].

" Pourquoi la lumière a-t-elle été donnée à un misérable, et la vie à ceux qui sont dans l'amertume du cœur[8] ? "

1. *Sensitive* : arbrisseau dont les feuilles se replient quand on les touche. — 2. *Magnolia* : cf. p. 6, n. 9. — 3. *Scapulaire* : pièce d'étoffe bénite qui se porte sur la poitrine. Celui d'Atala lui rappelait son vœu fait à sa mère mourante. — 4. *Enchantée* : soumise à une influence magique, rendue immobile par les paroles d'un magicien. — 5. *Vestale* : prêtresse de Vesta, chargée d'entretenir le feu sacré et vouée à la virginité. — 6. *Une eau consacrée* : l'eau bénite. — 7. Ce verset n'est pas tiré de Job, mais du psaume CII, verset 12. — 8. Le second verset est de Job, III, 20.

Ainsi chantait l'ancien des hommes. Sa voix grave et un peu cadencée allait roulant dans le silence des déserts. Le nom de Dieu et du tombeau sortait de tous les échos, de tous les torrents, de toutes les forêts. Les roucoulements de la colombe de Virginie, la chute d'un torrent dans la montagne, les tintements de la cloche qui appelait les voyageurs, se mêlaient à ces chants funèbres, et l'on croyait entendre dans les Bocages de la mort le chœur lointain des décédés, qui répondait à la voix du solitaire.

Cependant une barre d'or se forma dans l'orient. Les éperviers criaient sur les rochers et les martres rentraient dans le creux des ormes : c'était le signal du convoi d'Atala. Je chargeai le corps sur mes épaules; l'ermite marchait devant moi, une bêche à la main. Nous commençâmes à descendre de rochers en rochers; la vieillesse et la mort ralentissaient également nos pas. A la vue du chien qui nous avait trouvés dans la forêt, et qui maintenant, bondissant de joie, nous traçait une autre route, je me mis à fondre en larmes. Souvent la longue chevelure d'Atala, jouet des brises matinales, étendait son voile d'or sur mes yeux; souvent, pliant sous le fardeau, j'étais obligé de le déposer sur la mousse et de m'asseoir auprès, pour reprendre des forces. Enfin, nous arrivâmes au lieu marqué par ma douleur; nous descendîmes sous l'arche du pont[1]. O mon fils[2] ! il eût fallu voir un jeune sauvage et un vieil ermite, à genoux l'un vis-à-vis de l'autre dans un désert, creusant avec leurs mains un tombeau pour une pauvre fille dont le corps était étendu près de là, dans la ravine desséchée d'un torrent !

Quand notre ouvrage fut achevé, nous transportâmes la beauté dans son lit d'argile. Hélas ! j'avais espéré de préparer une autre couche pour elle ! Prenant alors un peu de poussière dans ma main, et gardant un silence effroyable, j'attachai pour la dernière fois mes yeux sur le visage d'Atala. Ensuite je répandis la terre du sommeil sur un front de dix-huit printemps; je vis graduellement disparaître les traits de ma sœur, et ses grâces se cacher sous le rideau de l'éternité; son sein surmonta quelque temps le sol noirci, comme un lis blanc s'élève du milieu d'une sombre argile : " Lopez, m'écriai-je alors, vois ton fils inhumer ta fille ! " et j'achevai de couvrir Atala de la terre du sommeil.

Après avoir fait des adieux émus au P. Aubry et à la tombe d'Atala, Chactas retourne près de sa mère.

1. Le peintre Girodet (1767-1824) a immortalisé cette scène dans le tableau célèbre *Atala mise au tombeau* (musée du Louvre). — 2. *Chactas* s'adresse à René, voyageur français à qui il fait le récit de sa vie.

RENÉ

1802

René devait être, comme *Atala*, un épisode des *Natchez*. Il fut publié d'abord dans le *Génie du Christianisme* en 1802, puis à part en 1805.

Dans *René*, Chateaubriand s'est peint lui-même, en se calomniant et en s'idéalisant tour à tour. Il y a représenté aussi l'état d'âme de la génération à laquelle il appartenait. *René*, c'est la première " confession d'un enfant du siècle "; René, c'est, après *Werther*, si l'on veut, mais avant *Manfred* et *Childe Harold*, le premier en date des héros romantiques; ce sera, pendant de longues années, le modèle idéal où nombre d'âmes du temps croiront se reconnaître. Littérairement parlant, le " mal du siècle " n'aura pas eu de plus éloquente et de plus parfaite expression.

ENFANCE DE RENÉ

" J'ai coûté la vie à ma mère en venant au monde. J'avais un frère, que mon père bénit, parce qu'il voyait en lui son fils aîné[1]. Pour moi, livré de bonne heure à des mains étrangères, je fus élevé loin du toit paternel[2].

" Mon humeur était impétueuse, mon caractère inégal. Tour à tour bruyant et joyeux, silencieux et triste, je rassemblais autour de moi mes jeunes compagnons; puis, les abandonnant tout à coup, j'allais m'asseoir à l'écart pour contempler la nue fugitive, ou entendre la pluie tomber sur le feuillage.

" Chaque automne, je revenais au château paternel, situé au milieu des forêts, près d'un lac, dans une province reculée[3].

" Timide et contraint devant mon père, je ne trouvais l'aise et le contentement qu'auprès de ma sœur Amélie[4]. Une douce conformité d'humeur et de goût m'unissait étroitement à cette sœur; elle était un peu plus âgée que moi. Nous aimions à gravir les coteaux ensemble, à voguer sur le lac, à parcourir les bois

1. Chateaubriand était le dernier de dix enfants. — 2. Chateaubriand passa une partie de son enfance chez sa grand-mère à Plancoët, ou au collège de Dol (cf. *Mémoires d'outre-tombe*). — 3. Au château de Combourg (cf. p. 79). — 4. La sœur de Chateaubriand s'appelait Lucile.

à la chute des feuilles : promenades dont le souvenir remplit encore mon âme de délices. O illusions de l'enfance et de la patrie, ne perdez-vous jamais vos douceurs ?

" Tantôt nous marchions en silence, prêtant l'oreille au sourd mugissement de l'automne, ou au bruit des feuilles séchées que nous traînions tristement sous nos pas; tantôt, dans nos jeux innocents, nous poursuivions l'hirondelle dans la prairie, l'arc-en-ciel sur les collines pluvieuses; quelquefois aussi nous murmurions des vers que nous inspirait le spectacle de la nature. Jeune, je cultivais les Muses; il n'y a rien de plus poétique dans la fraîcheur de ses passions, qu'un cœur de seize années. Le matin de la vie est comme le matin du jour, plein de pureté, d'images et d'harmonie. "

Le père de René meurt. Sous le coup de la douleur, celui-ci pense à entrer dans un monastère, puis il décide de voyager. Mais les grands spectacles de la nature ne peuvent calmer sa mélancolie ni apaiser son incurable ennui. Il rentre à Paris aussi désespéré qu'au départ. L'absence de sa sœur qu'il comptait y rencontrer augmente encore sa tristesse. Il se retire alors dans la solitude de la campagne.

RÊVERIES DE RENÉ

" Comment exprimer cette foule de sensations fugitives que j'éprouvais dans mes promenades ? Les sons que rendent les passions dans le vide d'un cœur solitaire ressemblent au murmure que les vents et les eaux font entendre dans le silence d'un désert; on en jouit, mais on ne peut les peindre.

" L'automne me surprit au milieu de ces incertitudes : j'entrai avec ravissement dans le mois des tempêtes. Tantôt j'aurais voulu être un de ces guerriers errant au milieu des vents, des nuages et des fantômes[1]; tantôt j'enviais jusqu'au sort du pâtre que je voyais réchauffer ses mains à l'humble feu de broussailles qu'il avait allumé au coin d'un bois. J'écoutais ses chants mélancoliques, qui me rappelaient que dans tout pays le chant naturel de l'homme est triste, lors même qu'il exprime le bonheur. Notre cœur est un instrument incomplet, une lyre où il manque des cordes, et où nous sommes forcés de rendre les accents de la joie sur le ton consacré aux soupirs.

1. Souvenir d'Ossian.

“ Le jour, je m’égarais sur de grandes bruyères terminées par des forêts. Qu’il fallait peu de choses à ma rêverie ! une feuille séchée que le vent chassait devant moi, une cabane dont la fumée s’élevait dans la cime dépouillée des arbres, la mousse qui tremblait au souffle du Nord sur le tronc d’un chêne, une roche écartée, un étang désert où le jonc flétri murmurait ! Le clocher solitaire s’élevant au loin dans la vallée a souvent attiré mes regards; souvent j’ai suivi des yeux les oiseaux de passage qui volaient au-dessus de ma tête. Je me figurais les bords ignorés, les climats lointains où ils se rendent; j’aurais voulu être sur leurs ailes. Un secret instinct me tourmentait : je sentais que je n’étais moi-même qu’un voyageur, mais une voix du ciel semblait me dire : “ Homme, la saison de ta migration n’est pas encore venue; attends que le vent de la mort se lève, alors tu déploieras ton vol vers ces régions inconnues que ton cœur demande. ”

“ Levez-vous vite, orages désirés[1] qui devez emporter René dans les espaces d’une autre vie !” Ainsi disant, je marchais à grands pas, le visage enflammé, le vent sifflant dans ma chevelure, ne sentant ni pluie, ni frimas, enchanté[2], tourmenté, et comme possédé par le démon de mon cœur. ”

Dégoûté de tout, René décide d’en finir avec la vie. Sa sœur Amélie, à laquelle il écrit alors, devine son projet à la lecture de sa lettre. Elle accourt en hâte et lui fait jurer de ne pas se tuer. Quelques mois se passent dans une douce intimité. Mais un matin René ne trouve plus sa sœur. Elle est partie pour se faire religieuse. Il décide de l’arracher à la vie monastique et, en se rendant au couvent, il va visiter le manoir familial.

LA MAISON PATERNELLE

“ Mon frère aîné avait vendu l’héritage paternel, et le nouveau propriétaire ne l’habitait pas. J’arrivai au château par la longue avenue de sapins; je traversai à pied les cours désertes; je m’arrêtai à regarder les fenêtres fermées ou demi-brisées, le chardon qui croissait au pied des murs, les feuilles qui jonchaient le seuil des portes, et ce perron solitaire où j’avais vu si souvent mon père et ses fidèles serviteurs. Les marches étaient déjà couvertes de mousse; le violier[3] jaune croissait entre leurs pierres déjointes et tremblantes. Un gardien inconnu m’ouvrit brusquement les portes.

1. La mort. — 2. *Enchanté* : soumis à une sorte d’influence magique. — 3. *Violier*, autre nom de la giroflée.

J'hésitais à franchir le seuil; cet homme s'écria : " Hé bien ! allez-vous faire comme cette étrangère, qui vint ici il y a quelques jours ? Quand ce fut pour entrer, elle s'évanouit, et je fus obligé de la reporter à sa voiture. " Il me fut aisé de reconnaître l'*étrangère*[1] qui, comme moi, était venue chercher dans ces lieux des pleurs et des souvenirs !

" Couvrant un moment mes yeux de mon mouchoir, j'entrai sous le toit de mes ancêtres. Je parcourus les appartements sonores où l'on n'entendait que le bruit de mes pas. Les chambres étaient à peine éclairées par la faible lumière qui pénétrait entre les volets fermés : je visitai celle où ma mère avait perdu la vie, celle où se retirait mon père, celle où j'avais dormi dans mon berceau, celle enfin où l'amitié avait reçu mes premiers vœux dans le sein d'une sœur[2]. Partout les salles étaient détendues[3], et l'araignée filait sa toile dans les couches[4] abandonnées. Je sortis précipitamment de ces lieux, je m'en éloignai à grands pas, sans oser tourner la tête. Qu'ils sont doux, mais qu'ils sont rapides, les moments que les frères et les sœurs passent dans leurs jeunes années, réunis sous l'aile de leurs vieux parents ! La famille de l'homme n'est que d'un jour, le souffle de Dieu la disperse comme une fumée. A peine le fils connaît-il le père, le père le fils, le frère la sœur, la sœur le frère ! Le chêne voit germer ses glands autour de lui. Il n'en est pas ainsi des enfants des hommes. "

Lorsque René retrouve Amélie, il est trop tard pour la dissuader. Elle va prononcer ses vœux, et demande à René de lui servir de père pour l'accompagner à l'autel. Il assiste, désolé, à cette cérémonie, et prend la résolution de passer en Amérique. Au moment où il s'embarque, il entend un glas tinter dans le monastère où est sa sœur. L'océan est déchaîné, la tempête fait rage. René quitte l'Europe au milieu de la fureur des éléments. En arrivant en Amérique, il apprend que sa sœur est morte en soignant une de ses compagnes atteinte d'une maladie contagieuse.

1. C'était sa sœur Amélie. — 2. Chateaubriand arrange un peu les choses. Il pense ici à Combourg, mais c'est à Saint-Malo qu'il est né. — 3. *Détendues* : les tentures en avaient été enlevées. — 4. *Couches* : lits.

GÉNIE
DU
CHRISTIANISME

1802

Commencé en 1798, le *Génie du Christianisme* parut le 14 avril 1802, quatre jours avant le dimanche de Pâques où fut proclamé le Concordat. C'était le livre qu'il fallait au moment où la religion catholique était restaurée officiellement. Bien des gens étaient las en effet du culte révolutionnaire de la déesse Raison et de l'athéisme qui avait succédé; le philosophisme du XVIIIe siècle avait laissé les esprits désemparés; le Concordat fut généralement salué comme une délivrance, et la réouverture des églises comme un bienfait : la France était prête à accueillir avec enthousiasme un livre qui lui montrait la beauté et l'utilité de la religion, qui soutenait que le christianisme avait servi la cause de la civilisation et inspiré les plus grands génies des temps modernes. Le succès fut extraordinaire.

L'influence du livre fut durable et profonde : sur la religion (intensification du mouvement de renaissance religieuse qui marqua la première partie du XIXe siècle), sur la poésie (introduction du sentiment catholique et du merveilleux chrétien), sur l'histoire (résurrection de notre passé national et réhabilitation du moyen âge), sur la critique littéraire (idée qu une œuvre doit s'expliquer par l'époque où elle a été créée, par le " milieu " où elle a paru; nécessité de mieux connaître les littératures étrangères), sur les arts (découverte et explication des beautés de notre architecture gothique, mise à la mode des cathédrales, développement des études archéologiques).

Le *Génie du Christianisme* forme le centre de l'œuvre de Chateaubriand : *Atala*, *René*, en sont des chapitres détachés; *les Martyrs* seront composés pour justifier la théorie du merveilleux chrétien (2e partie, livre IV); et l'*Itinéraire de Paris à Jérusalem* sera le récit du voyage entrepris en Orient pour voir les lieux où se passent les principales scènes des *Martyrs*.

L'ouvrage se compose de quatre parties, divisées chacune en six livres.

La première partie traite des *Dogmes* et de la *Doctrine*. Chateaubriand y étudie successivement : les *Mystères* et les *Sacrements* (livre I), les *Vertus* et *Lois morales* (livre II), les *Vérités des Ecritures* (livres III et IV), l'*Existence de Dieu prouvée par les merveilles de la nature* (livre V; démonstration qui n'est ni théologique ni métaphysique, mais uniquement esthétique et sentimentale : il est beau de croire en Dieu et la beauté de l'univers nous porte à la foi, voilà tout ce que soutient l'auteur); l'*Immortalité de l'âme prouvée par la morale et le sentiment* (livre VI).

Photo Hachette.

FRONTISPICE DU " GÉNIE DU CHRISTIANISME ".

DESSEIN ET PLAN DU LIVRE

Ce n'était pas les sophistes qu'il fallait réconcilier à la religion, c'était le monde qu'ils égaraient. On l'avait séduit[1] en lui disant que le christianisme était un culte né du sein de la barbarie, absurde dans ses dogmes, ridicule dans ses cérémonies, ennemi des arts et des lettres, de la raison et de la beauté; un culte qui n'avait fait que verser le sang, enchaîner les hommes, et retarder le bonheur et les lumières du genre humain : on devait donc chercher à prouver au contraire que, de toutes les religions qui ont jamais existé, la religion chrétienne est la plus poétique, la plus humaine, la plus favorable à la liberté, aux arts et aux lettres[2]; que le monde moderne lui doit tout, depuis l'agriculture jusqu'aux sciences abstraites; depuis les hospices pour les malheureux jusqu'aux temples bâtis par Michel-Ange et décorés par Raphaël. On devait montrer qu'il n'y a rien de plus divin que sa morale, rien de plus aimable, de plus pompeux que ses dogmes, sa doctrine et son culte; on devait dire qu'elle favorise le génie, épure le goût, développe les passions vertueuses, donne de la vigueur à la pensée, offre des formes nobles à l'écrivain, et des moules parfaits à l'artiste; qu'il n'y a point de honte à croire avec Newton et Bossuet, Pascal et Racine; enfin il fallait appeler tous les enchantements de l'imagination et tous les intérêts du cœur au secours de cette même religion contre laquelle on les avait armés[3]....

Il est temps qu'on sache enfin à quoi se réduisent ces reproches d'*absurdité*, de *grossièreté*, de *petitesse*, qu'on fait tous les jours au christianisme; il est temps de montrer que, loin de rapetisser la pensée, il se prête merveilleusement aux élans de l'âme, et peut enchanter l'esprit aussi divinement que les dieux de Virgile et d'Homère. Nos raisons auront du moins cet avantage, qu'elles seront à la portée de tout le monde, et qu'il ne faudra qu'un bon sens[4] pour en juger. On néglige peut-être un peu trop, dans les ouvrages de ce genre, de parler la langue de ses lecteurs : il faut être docteur avec le docteur, et poète avec le poète. Dieu ne défend pas les routes fleuries quand elles servent à revenir à lui, et ce n'est pas toujours par les sentiers rudes et sublimes[5] de la montagne que la brebis égarée retourne au bercail[6]....

(Première partie, I, I.)

1. *Séduit* : entraîné hors du droit chemin. — 2. Voilà la vraie définition du *Génie du Christianisme*. — 3. C'est le programme du livre : Chateaubriand veut prouver que du point de vue de la *raison* le christianisme n'est pas absurde, et que du point de vue de l'*art* il est éminemment poétique et capable d'inspirer les plus belles créations esthétiques. — 4. *Un bon sens* : un jugement, un esprit droit. — 5. *Sublimes* : élevés. — 6. L'image de la brebis égarée est empruntée à la Bible, *Jean*, X, 1-5.

CHANT DES OISEAUX

La nature a ses temps de solennité, pour lesquels elle convoque des musiciens de différentes régions du globe. On voit accourir de savants artistes avec des sonates merveilleuses, de vagabonds troubadours[1] qui ne savent chanter que des ballades[2] à refrain, des pèlerins qui répètent mille fois les couplets de leurs longs cantiques. Le loriot siffle, l'hirondelle gazouille, le ramier gémit : le premier, perché sur la plus haute branche d'un ormeau, défie notre merle, qui ne le cède en rien à cet étranger[3]; la seconde, sous un toit hospitalier, fait entendre son ramage confus ainsi qu'au temps d'Évandre[4]; le troisième, caché dans le feuillage d'un chêne, prolonge ses roucoulements, semblables aux sons onduleux d'un cor dans les bois; enfin le rouge-gorge répète sa petite chanson sur la porte de la grange où il a placé son gros nid de mousse. Mais le rossignol dédaigne de perdre sa voix au milieu de cette symphonie : il attend l'heure du recueillement et du repos, et se charge de cette partie de la fête qui doit se célébrer dans les ombres.

Lorsque les premiers silences de la nuit et les derniers murmures du jour luttent sur les coteaux, au bord des fleuves, dans les bois et dans les vallées; lorsque les forêts se taisent par degrés, que pas une feuille, pas une mousse ne soupire, que la lune est dans le ciel, que l'oreille de l'homme est attentive, le premier chantre de la création entonne ses hymnes à l'Éternel. D'abord il frappe l'écho des brillants éclats du plaisir : le désordre est dans ses chants; il saute du grave à l'aigu, du doux au fort; il fait des pauses; il est lent, il est vif : c'est un cœur que la joie enivre, un cœur qui palpite sous le poids de l'amour. Mais tout à coup la voix tombe, l'oiseau se tait. Il recommence ! Que ses accents sont changés ! quelle tendre mélodie ! Tantôt ce sont des modulations languissantes, quoique variées; tantôt c'est un air un peu monotone, comme celui de ces vieilles romances françaises, chefs-

1. *Troubadours* : chanteurs errants; proprement : poètes et chanteurs des pays de langue d'oc, au Moyen Age. — 2. *Ballades* : chansons; proprement : petits poèmes en vers égaux, composés de trois strophes symétriques avec refrain, et d'un couplet plus court qui sert d'envoi. — 3. Le merle ne quitte pas le pays où il est né; le loriot s'en va tous les ans vers le Midi à l'automne. — 4. *Évandre* : Arcadien qui amena une colonie de Pélasges dans le Latium. Allusion à Virgile, *Enéide*, VIII, 456 : " Les chants matinaux des oiseaux sous le chaume font sortir Évandre de son humble chaumière. "

d'œuvre de simplicité et de mélancolie. Le chant est aussi souvent la marque de la tristesse que de la joie : l'oiseau qui a perdu ses petits chante encore; c'est encore l'air du temps du bonheur qu'il redit, car il n'en sait qu'un; mais, par un coup de son art, le musicien n'a fait que changer la clef[1], et la cantate du plaisir est devenue la complainte de la douleur. (Première partie, V, 5.)

UNE NUIT DANS LES DÉSERTS DU NOUVEAU MONDE

Un soir je m'étais égaré dans une forêt, à quelque distance de la cataracte du Niagara; bientôt je vis le jour s'éteindre autour de moi, et je goûtai, dans toute sa solitude, le beau spectacle d'une nuit dans les déserts du Nouveau Monde.

Une heure après le coucher du soleil la lune se montra au-dessus des arbres, à l'horizon opposé. Une brise embaumée, que cette reine des nuits amenait de l'orient avec elle, semblait la précéder dans les forêts, comme sa fraîche haleine. L'astre solitaire monta peu à peu dans le ciel : tantôt il suivait paisiblement sa course azurée, tantôt il reposait sur des groupes de nues qui ressemblaient à la cime de hautes montagnes couronnées de neige. Ces nues, ployant et déployant leurs voiles, se déroulaient en zones diaphanes de satin blanc, se dispersaient en légers flocons d'écume, ou formaient dans les cieux des bancs d'une ouate éblouissante, si doux à l'œil, qu'il croyait ressentir leur mollesse et leur élasticité.

La scène sur la terre n'était pas moins ravissante : le jour bleuâtre et velouté de la lune descendait dans les intervalles des arbres, et poussait des gerbes de lumière jusque dans l'épaisseur des plus profondes ténèbres. La rivière qui coulait à mes pieds tour à tour se perdait dans le bois, tour à tour reparaissait brillante des constellations de la nuit, qu'elle répétait dans son sein. Dans une savane[2], de l'autre côté de la rivière, la clarté de la lune dormait sans mouvement sur les gazons; des bouleaux agités par les brises et dispersés çà et là formaient des îles d'ombres flottantes sur cette mer immobile de lumière. Auprès tout aurait été silence et repos sans la chute de quelques feuilles, le passage d'un vent subit, le gémissement de la hulotte[3]; au loin, par intervalles, on entendait les sourds mugissements de la cataracte du Niagara, qui, dans le calme de la nuit, se prolongeaient de désert en désert et expiraient à travers les forêts solitaires.

1. *Clef,* terme de musique : signe qui indique l'intonation. — 2. *Savane* : vaste étendue couverte d'herbe. — 3. *Hulotte* : oiseau de nuit du genre chouette. La hulotte de France est appelée aussi chat-huant.

La grandeur, l'étonnante mélancolie de ce tableau ne sauraient s'exprimer dans les langues humaines; les plus belles nuits en Europe ne peuvent en donner une idée. En vain dans nos champs cultivés l'imagination cherche à s'étendre; elle rencontre de toutes parts les habitations des hommes; mais dans ces régions sauvages l'âme se plaît à s'enfoncer dans un océan de forêts, à planer sur le gouffre des cataractes, à méditer au bord des lacs et des fleuves, et, pour ainsi dire, à se trouver seule devant Dieu.

(Première partie, V, 12.)

Dans la seconde partie du *Génie du Christianisme*, intitulée *Poétique du christianisme*, Chateaubriand tente de montrer la supériorité des œuvres inspirées par le christianisme sur les poèmes païens.

Au premier livre, il étudie les *Epopées chrétiennes* : *la Divine Comédie*, de Dante, *la Jérusalem délivrée* du Tasse, *les Lusiades* de Camoëns, *la Messiade* de Klopstock, *le Paradis perdu* de Milton, dont il donnera plus tard une traduction, *la Henriade* de Voltaire.

Au livre II, il compare, dans les poèmes antiques et modernes, les *caractères naturels* : les époux, le père, le fils, la fille; puis les *caractères sociaux* : le prêtre le guerrier, — fondant par une telle étude la *critique historique*, celle qui étudiera les *milieux*, les conditions d'éclosion des œuvres littéraires.

Au livre III, il montre que le christianisme " a changé les rapports *des passions en changeant les bases du vice et de la vertu* ". Il étudie notamment *le vague des passions* dans l'âme de ses contemporains.

Le livre IV traite du *merveilleux*, c'est-à-dire de l'intervention du surnaturel dans les œuvres poétiques, et Chateaubriand tente de démontrer la supériorité du merveilleux chrétien sur le merveilleux païen.

Le livre V est un parallèle entre la Bible et Homère.

LES TROIS ANDROMAQUES

Les sentiments les plus touchants de l'Andromaque de Racine émanent pour la plupart d'un poète *chrétien*. L'Andromaque de l'*Iliade* est plus épouse que mère; celle d'Euripide a un caractère à la fois rampant et ambitieux, qui détruit le caractère maternel; celle de Virgile est tendre et triste, mais c'est moins encore la mère que l'épouse; la veuve d'Hector ne dit pas : *Astyanax ubi est*[1] ? mais : *Hector ubi est*[2] ?

L'Andromaque de Racine est plus sensible, plus intéressante que l'Andromaque antique. Ce vers si simple et si aimable :

Je ne l'ai point encore embrassé d'aujourd'hui[3],

1. " Où est Astyanax ", son fils. — 2. " Où est Hector " (*Enéide*, III, 312), son mari. — 3. *Andromaque*, I, 4, v. 264.

est le mot d'une femme chrétienne : cela n'est point dans le goût des Grecs, et encore moins des Romains. L'Andromaque d'Homère gémit sur les malheurs futurs d'Astyanax, mais elle songe à peine à lui dans le présent; la mère, sous notre culte, plus tendre, sans être moins prévoyante, oublie quelquefois ses chagrins, en donnant un baiser à son fils. Les anciens n'arrêtaient pas longtemps les yeux sur l'enfance; il semble qu'ils trouvaient quelque chose de trop naïf dans le langage du berceau. Il n'y a que le Dieu de l'Évangile qui ait osé nommer sans rougir les *petits enfants* (*parvuli*)[1], et qui les ait offerts en exemple aux hommes.

(Deuxième partie, II, 6.)

DU VAGUE DES PASSIONS[2]

Il reste à parler d'un état de l'âme qui, ce nous semble, n'a pas encore été bien observé : c'est celui qui précède le développement des passions, lorsque nos facultés, jeunes, actives, entières, mais renfermées, ne se sont exercées que sur elles-mêmes, sans but et sans objet. Plus les peuples avancent en civilisation, plus cet état du *vague* des passions augmente; car il arrive alors une chose fort triste : le grand nombre d'exemples qu'on a sous les yeux, la multitude de livres qui traitent de l'homme et de ses sentiments rendent habile sans expérience. On est détrompé sans avoir joui; il reste encore des désirs, et l'on n'a plus d'illusions. L'imagination est riche, abondante et merveilleuse; l'existence pauvre, sèche et désenchantée. On habite avec un cœur plein un monde vide, et sans avoir usé de rien on est désabusé de tout[3].

L'amertume que cet état de l'âme répand sur la vie est incroyable; le cœur se retourne et se replie en cent manières pour employer des forces qu'il sent lui être inutiles. Les anciens ont peu connu cette inquiétude secrète, cette aigreur des passions étouffées qui fermentent toutes ensemble : une grande existence politique, les jeux du gymnase et du Champ de Mars, les affaires du Forum et de la place publique remplissaient leurs moments et ne laissaient aucune place aux ennuis du cœur[4].

1. Évangile selon Saint Matthieu, XVIII, 3. — 2. Dans ce chapitre, Chateaubriand définit la mélancolie moderne. A l'appui de son raisonnement il inséra, dans quelques éditions, l'épisode de *René*. — 3. Première cause du vague des passions, de la mélancolie : l'opposition entre l'imagination et la réalité, entre les rêves et l'expérience. L'âme désabusée ne trouve rien autour d'elle qui la satisfasse et soupire après un bien inconnu (influence de la *civilisation*). — 4. Deuxième cause, assez contestable : le manque d'une vie active. Mais les anciens, malgré leur vie active, avaient aussi leurs tristesses. Les romantiques n'ont pas inventé la mélancolie; les Grecs et les Romains l'avaient connue.

D'une autre part, ils n'étaient pas enclins aux exagérations, aux espérances, aux craintes sans objets, à la mobilité des idées et des sentiments, à la perpétuelle inconstance, qui n'est qu'un dégoût constant; dispositions que nous acquérons dans la société des femmes. Les femmes, indépendamment de la passion directe qu'elles font naître chez les peuples modernes, influent encore sur les autres sentiments. Elles ont dans leur existence un certain abandon qu'elles font passer dans la nôtre; elles rendent notre caractère d'homme moins décidé, et nos passions, amollies par le mélange des leurs, prennent à la fois quelque chose d'incertain et de tendre[1].

Enfin, les Grecs et les Romains, n'étendant guère leurs regards au-delà de la vie et ne soupçonnant point des plaisirs plus parfaits que ceux de ce monde, n'étaient point portés comme nous aux méditations et aux désirs par le caractère de leur culte. Formée pour nos misères et pour nos besoins, la religion chrétienne nous offre sans cesse le double tableau des chagrins de la terre et des joies célestes, et par ce moyen elle fait dans le cœur une source de maux présents et d'espérances lointaines, d'où découlent d'inépuisables rêveries. Le chrétien se regarde toujours comme un voyageur qui passe ici-bas dans une vallée de larmes et qui ne se repose qu'au tombeau. Le monde n'est point l'objet de ses vœux, car il sait que l'*homme vit peu de jours*, et que cet objet lui échapperait vite[2].

Les persécutions qu'éprouvèrent les premiers fidèles augmentèrent en eux ce dégoût des choses de la vie. L'invasion des barbares y mit le comble, et l'esprit humain en reçut une impression de tristesse très profonde et une teinte de misanthropie qui ne s'est jamais bien effacée. De toutes parts s'élevèrent des couvents, où se retirèrent des malheureux trompés par le monde et des âmes qui aimaient mieux ignorer certains sentiments de la vie que de s'exposer à les voir cruellement trahis[3]. Mais de nos jours, quand les monastères ou la vertu qui y conduit ont manqué à ces âmes ardentes, elles se sont trouvées étrangères au milieu des hommes. Dégoûtées par leur siècle, effrayées par leur religion,

1. Troisième cause : influence des femmes dans la société moderne. Cause assez contestable également, puisque les époques où la société des femmes a été particulièrement goûtée (vie mondaine, vie de salon des XVIIe et XVIIIe siècles) sont justement celles où la mélancolie n'a guère été connue. — 2. Quatrième cause : le christianisme, en nous révélant les joies infinies de l'autre vie, nous fait paraître plus triste la vie terrestre. Raison contestable encore : le vrai chrétien n'est pas mélancolique, puisqu'il est affermi dans la certitude de sa foi et considère la mélancolie comme un péché; il n'éprouve pas le vague des passions, puisqu'il sait ce qu'il attend, et il espère. — 3. Il n'y a pas que des désenchantés dans les couvents.

elles sont restées dans le monde sans se livrer au monde : alors elles sont devenues la proie de mille chimères; alors on a vu naître cette coupable mélancolie qui s'engendre au milieu des passions, lorsque ces passions, sans objet, se consument d'elles-mêmes dans un cœur solitaire[1].

(Deuxième partie, III, 9.)

QUE LA MYTHOLOGIE RAPETISSAIT LA NATURE

... On ne peut guère supposer que des hommes aussi sensibles que les anciens eussent manqué d'yeux pour voir la nature et de talent pour la peindre si quelque cause puissante ne les avait aveuglés. Or cette cause était la mythologie, qui, peuplant l'univers d'élégants fantômes, ôtait à la création sa gravité, sa grandeur et sa solitude. Il a fallu que le christianisme vînt chasser ce peuple de faunes, de satyres et de nymphes[2], pour rendre aux grottes leur silence et aux bois leur rêverie. Les déserts ont pris sous notre culte un caractère plus triste, plus grave, plus sublime : le dôme des forêts s'est exhaussé; les fleuves ont brisé leurs petites urnes[3], pour ne plus verser que les eaux de l'abîme du sommet des montagnes : le vrai Dieu, en rentrant dans ses œuvres, a donné son immensité à la nature.

Le spectacle de l'univers ne pouvait faire sentir aux Grecs et aux Romains les émotions qu'il porte à notre âme. Au lieu de ce soleil couchant, dont le rayon allongé tantôt illumine une forêt, tantôt forme une tangente d'or sur l'arc roulant des mers; au lieu de ces accidents de lumière qui nous retracent chaque matin le miracle de la création, les anciens ne voyaient partout qu'une uniforme machine d'opéra[4].

Si le poète s'égarait dans les vallées du Taygète[5], au bord du Sperchius[6], sur le Ménale[7] aimé d'Orphée[8], ou dans les campagnes d'Élore[9], malgré la douceur de ces dénominations, il ne

1. Cinquième cause : la suppression des couvents par la Révolution a rendu à la vie du monde des âmes qui en avaient perdu l'habitude et s'y sont trouvées désemparées. — 2. *Faunes, satyres, nymphes* : divinités des champs, des bois et des sources. — 3. Les sculpteurs et les poètes antiques représentaient les fleuves sous la figure de divinités appuyées sur des urnes d'où s'épanchait la source. — 4. Exagéré. Les Grecs, habitant un pays lumineux, ont été très sensibles aux jeux de la lumière. Maints passages des *Géorgiques* contredisent également Chateaubriand. — 5. *Le Taygète* : montagne de Laconie, près de Sparte. — 6. *Le Sperchius* : fleuve de Thessalie. — 7. *Le Ménale* : montagne d'Arcadie. — 8. *Orphée* : célèbre musicien thrace des temps héroïques. — 9. *Elore* : fleuve de l'Est de la Sicile.

rencontrait que des faunes, il n'entendait que des dryades[1]; Priape[2] était là sur un tronc d'olivier, et Vertumne[3] avec les zéphyrs menait des danses éternelles. Des sylvains et des naïades[4] peuvent frapper agréablement l'imagination, pourvu qu'ils ne soient pas sans cesse reproduits; nous ne voulons point

.... Chasser les tritons[5] de l'empire des eaux,
Oter à Pan[6] sa flûte[7], aux Parques[8] leurs ciseaux[9]....

Mais enfin, qu'eſt-ce que tout cela laisse au fond de l'âme ? qu'en résulte-t-il pour le cœur ? quel fruit peut en tirer la pensée ? Oh ! que le poète chrétien eſt plus favorisé dans la solitude où Dieu se promène avec lui ! Libres de ce troupeau de dieux ridicules qui les bornaient de toutes parts, les bois se sont remplis d'une Divinité immense. Le don de prophétie et de sagesse, le myſtère et la religion semblent résider éternellement dans leurs profondeurs sacrées.

Pénétrez dans ces forêts américaines aussi vieilles que le monde : quel profond silence dans ces retraites quand les vents reposent ! quelles voix inconnues quand les vents viennent à s'élever ! Êtes-vous immobile, tout eſt muet; faites-vous un pas, tout soupire. La nuit s'approche, les ombres s'épaississent : on entend des troupeaux de bêtes sauvages passer dans les ténèbres; la terre murmure sous vos pas; quelques coups de foudre font mugir les déserts; la forêt s'agite, les arbres tombent, un fleuve inconnu coule devant vous. La lune sort enfin de l'Orient; à mesure que vous passez au pied des arbres, elle semble errer devant vous dans leur cime et suivre triſtement vos yeux. Le voyageur s'assied sur le tronc d'un chêne pour attendre le jour; il regarde tour à tour l'aſtre des nuits, les ténèbres, le fleuve; il se sent inquiet, agité, et, dans l'attente de quelque chose d'inconnu, un plaisir inouï, une crainte extraordinaire font palpiter son sein comme s'il allait être admis à quelque secret de la Divinité : il eſt seul au fond des forêts, mais l'esprit de l'homme remplit aisément les espaces de la nature, et toutes les solitudes de la terre sont moins vaſtes qu'une seule pensée de son cœur.

1. *Dryades* : divinités qui étaient censées habiter sous l'écorce des chênes. — 2. *Priape* : divinité des jardins. — 3. *Vertumne* : dieu des saisons. — 4. *Sylvains* : dieux des forêts; *naïades* : nymphes des rivières. — 5. *Tritons* : dieux marins, moitié hommes, moitié poissons qui escortaient Neptune en soufflant dans des conques. — 6. *Pan* : dieu des bergers, des troupeaux et des pâturages. — 7. *Sa flûte* : la flûte de Pan était formée de sept roseaux de longueur inégale joints ensemble avec de la cire. — 8. *Les Parques* : divinités qui présidaient à la vie humaine dont elles filaient la trame; Clotho tenait la quenouille, Lachésis le fuseau, Atropos coupait le fil. — 9. Boileau, *Art poétique*, III, 221.

Oui, quand l'homme renierait la Divinité, l'être pensant, sans cortège et sans spectateur, serait encore plus auguste au milieu des mondes solitaires que s'il y paraissait environné des petites déités de la fable; le désert vide aurait encore quelques convenances avec l'étendue de ses idées, la tristesse de ses passions et le dégoût même d'une vie sans illusion et sans espérance.

Il y a dans l'homme un instinct qui le met en rapport avec les scènes de la nature. Eh ! qui n'a passé des heures entières assis, sur le rivage d'un fleuve, à voir s'écouler les ondes ! Qui ne s'est plu, au bord de la mer, à regarder blanchir l'écueil éloigné ! Il faut plaindre les anciens, qui n'avaient trouvé dans l'Océan que le palais de Neptune et la grotte de Protée[1]; il était dur de ne voir que les aventures des tritons et des néréides[2] dans cette immensité des mers, qui semble nous donner une mesure confuse de la grandeur de notre âme, dans cette immensité qui fait naître en nous un vague désir de quitter la vie pour embrasser la nature et nous confondre avec son auteur. (Deuxième partie, IV, 1.)

PARALLÈLE DE LA BIBLE ET D'HOMÈRE[3]

Un hôte se présente-t-il chez un prince dans Homère, des femmes, et quelquefois la fille même du roi, conduisent l'étranger au bain. On le parfume, on lui donne à laver[4] dans des aiguières d'or et d'argent, on le revêt d'un manteau de pourpre, on le conduit dans la salle du festin, on le fait s'asseoir dans une belle chaise d'ivoire, ornée d'un beau marchepied. Des esclaves mêlent le vin et l'eau dans les coupes et lui présentent les dons de Cérès[5] dans une corbeille; le maître du lieu lui sert le dos succulent de la victime, dont il lui fait une part cinq fois plus grande que celle des autres. Cependant on mange avec une grande joie, et l'abondance a bientôt chassé la faim. Le repas fini, on prie l'*étranger*[6] de raconter son histoire. Enfin, à son départ, on lui fait de riches présents, si mince qu'ait paru d'abord son équipage; car on suppose que c'est un dieu qui vient, ainsi déguisé, surprendre le cœur des rois, ou un homme tombé dans l'infortune, et par conséquent le favori de Jupiter[7].

1. *Protee* : dieu marin qui gardait les troupeaux de Neptune et avait la faculté de prendre toutes sortes de formes. — 2. *Néréides* : nymphes de la mer, filles du dieu marin Nérée. — 3. Ce parallèle porte sur : la simplicité, l'antiquité des mœurs, la narration, la description, les comparaisons, le sublime. Le passage cité ici se rapporte à l'antiquité des mœurs. — 4. *Laver* : se laver. — 5. *Cérès* : déesse de l'agriculture; *les dons de Cérès* : le pain. — 6. *L'étranger* : terme opposé à celui de *voyageur* par lequel la Bible désigne l'hôte. — 7. Voyez la réception d'Ulysse, *Odyssée*, VI. Pour être païenne, cette hospitalité n'en est pas moins religieuse et touchante.

Sous la tente d'Abraham[1], la réception se passe autrement. Le patriarche sort pour aller au-devant de son hôte : il le salue, et puis adore Dieu. Les fils du lieu emmènent les chameaux, et les filles leur donnent à boire. On lave les pieds du *voyageur* : il s'assied à terre, et prend en silence le repas de l'hospitalité. On ne lui demande point son histoire, on ne le questionne point; il demeure ou continue sa route à volonté. A son départ, on fait alliance avec lui, et l'on élève la pierre du témoignage. Cet autel doit dire aux siècles futurs que deux hommes des anciens jours se rencontrèrent dans le chemin de la vie; qu'après s'être traités comme deux frères, ils se quittèrent pour ne se revoir jamais et pour mettre de grandes régions entre leurs tombeaux[2].

(Deuxième partie, V, 3.)

La troisième partie du *Génie du Christianisme* est consacrée aux beaux-arts et à la littérature.

Le livre I étudie la *Musique*, la *Peinture*, la *Sculpture*, l'*Architecture*, Chateaubriand s'y montre assez faible critique d'art; cependant le chapitre sur *les églises gothiques* a eu le mérite de réhabiliter nos vieilles cathédrales et a exercé une puissante influence sur la littérature romantique (cf. Victor Hugo et *Notre-Dame de Paris*) et le développement de l'archéologie.

Le livre II traite de la *Philosophie*, des sciences : *Astronomie*, *Mathématiques*, *Chimie*, *Histoire naturelle*, et de la *Métaphysique*. Le chapitre consacré à *Pascal* est un des plus célèbres de l'ouvrage.

Le livre III est consacré à l'influence du christianisme sur la manière d'écrire l'*Histoire* (*les Mémoires*, *Voltaire*, *Commines*, *Rollin*, *Bossuet*), le livre IV à l'*Eloquence* (*Pères de l'Eglise*, *Massillon*, *Bossuet*), le livre V aux *Harmonies de la religion*, et spécialement aux *Ruines*.

LES ÉGLISES GOTHIQUES

Les forêts ont été les premiers temples de la Divinité, et les hommes ont pris dans les forêts la première idée de l'architecture. Cet art a donc dû varier selon les climats. Les Grecs ont tourné l'élégante colonne corinthienne avec son chapiteau de feuilles sur le modèle du palmier. Les énormes piliers du vieux style égyptien représentent le sycomore, le figuier oriental, le bananier et la plupart des arbres gigantesques de l'Afrique et de l'Asie.

Les forêts des Gaules ont passé à leur tour dans les temples

1. Voyez la réception des trois anges par Abraham, *Genèse*, XVIII. — 2. L'hospitalité biblique, touchante elle aussi, n'a rien de plus poétique que la gracieuse hospitalité grecque. Chateaubriand, emporté par sa thèse, a tort de vouloir toujours préférer le chrétien au païen.

de nos pères, et nos bois de chênes ont ainsi maintenu leur origine sacrée. Ces voûtes ciselées en feuillages, ces jambages, qui appuient les murs et finissent brusquement comme des troncs brisés, la fraîcheur des voûtes, les ténèbres du sanctuaire, les ailes obscures, les passages secrets, les portes abaissées, tout retrace les labyrinthes des bois dans l'église gothique; tout en fait sentir la religieuse horreur, les mystères de la divinité[1]. Les deux tours hautaines plantées à l'entrée de l'édifice surmontent les ormes et les ifs du cimetière, et font un effet pittoresque sur l'azur du ciel. Tantôt le jour naissant illumine leurs têtes jumelles, tantôt elles paraissent couronnées d'un chapiteau de nuages, ou grossies dans une atmosphère vaporeuse. Les oiseaux eux-mêmes semblent s'y méprendre et les adopter pour les arbres de leurs forêts : des corneilles voltigent autour de leurs faîtes et se perchent sur leurs galeries. Mais tout à coup des rumeurs confuses s'échappent de la cime de ces tours et en chassent les oiseaux effrayés. L'architecte chrétien, non content de bâtir des forêts, a voulu, pour ainsi dire, en imiter les murmures, et au moyen de l'orgue et du bronze suspendu il a attaché au temple gothique jusqu'au bruit des vents et des tonnerres, qui roulent dans la profondeur des bois. Les siècles, évoqués par ces sons religieux, font sortir leurs antiques voix du sein des pierres, et soupirent dans la vaste basilique : le sanctuaire mugit comme l'antre de l'ancienne Sibylle[2]; et, tandis que l'airain se balance avec fracas sur votre tête, les souterrains voûtés de la mort se taisent profondément sous vos pieds.

(Troisième partie, I, 8.)

PASCAL

Il y avait un homme qui, à douze ans, avec des *barres* et des *ronds*[3], avait créé les mathématiques; qui, à seize ans, avait fait le plus savant traité des coniques qu'on eût vu depuis l'antiquité; qui, à dix-neuf ans, réduisit en machine une science qui existe tout entière dans l'entendement[4]; qui, à vingt-trois ans démontra les phénomènes de la pesanteur de l'air[5], et détruisit une des

1. En réalité, l'architecture ogivale est sortie de l'architecture romane, par une série de transformations et de perfectionnements. Il reste vrai cependant que le style ogival est en parfaite harmonie avec le pays où il s'est développé. — 2. *La Sibylle* : prophétesse qui rendait des oracles dans une grotte, à Cumes, près de Naples. — 3. *Barres, ronds* : c'est ainsi que Pascal enfant appelait les lignes et les cercles (cf. *Vie de Pascal*, par sa sœur Gilberte). — 4. La machine arithmétique. — 5. Expériences sur la pesanteur de l'air au Puy-de-Dôme et à la Tour Saint-Jacques.

grandes erreurs de l'ancienne physique[1]; qui, à cet âge où les autres hommes commencent à peine de naître, ayant achevé de parcourir le cercle des sciences humaines, s'aperçut de leur néant, et tourna ses pensées vers la religion; qui, depuis ce moment jusqu'à sa mort, arrivée dans sa trente-neuvième année, toujours infirme et souffrant, fixa la langue que parlèrent Bossuet et Racine, donna le modèle de la plus parfaite plaisanterie comme du raisonnement le plus fort[2], enfin, qui, dans les courts intervalles de ses maux, résolut par abstraction un des plus hauts problèmes de géométrie[3] et jeta sur le papier des pensées[4] qui tiennent autant du dieu que de l'homme : cet effrayant génie se nommait *Blaise Pascal.*

(Troisième partie, II, 6.)

LES RUINES

Tous les hommes ont un secret attrait pour les ruines. Ce sentiment tient à la fragilité de notre nature, à une conformité secrète entre ces monuments détruits et la rapidité de notre existence. Il s'y joint en outre une idée qui console notre petitesse, en voyant[5] que des peuples entiers, des hommes quelquefois si fameux, n'ont pu vivre cependant au-delà du peu de jours assignés à notre obscurité. Ainsi les ruines jettent une grande moralité au milieu des scènes de la nature; quand elles sont placées dans un tableau, en vain on cherche à porter les yeux autre part : ils reviennent toujours s'attacher sur elles. Et pourquoi les ouvrages des hommes ne passeraient-ils pas, quand le soleil qui les éclaire doit lui-même tomber de sa voûte ? Celui qui le plaça dans les cieux est le seul souverain dont l'empire ne connaisse point de ruines.

Il y a deux sortes de ruines : l'une, ouvrage du temps; l'autre, ouvrage des hommes. Les premières n'ont rien de désagréable, parce que la nature travaille auprès des ans. Font-ils des décombres, elle y sème des fleurs; entrouvrent-ils un tombeau, elle y place le nid d'une colombe; sans cesse occupée à reproduire, elle environne la mort des plus douces illusions de la vie.

Les secondes ruines sont plutôt des dévastations que des ruines : elles n'offrent que l'image du néant, sans une puissance

1. L'erreur consistant à dire que, si l'eau monte dans les tuyaux des pompes et le mercure dans le tube du baromètre, c'est que « la nature a horreur du vide ». — 2. Dans *les Provinciales.* — 3. Le problème de la *cycloïde*, courbe engendrée par un point situé sur une circonférence qui roule sur une droite. — 4. Les *Pensées*, fragments d'une démonstration de la vérité et de l'excellence de la religion catholique.—5. *En voyant* : quand nous voyons.

réparatrice. Ouvrage du malheur et non des années, elles ressemblent aux cheveux blancs sur la tête de la jeunesse. Les destructions des hommes sont d'ailleurs plus violentes et plus complètes que celles des âges; les seconds minent, les premiers renversent. Quand Dieu, pour des raisons qui nous sont inconnues, veut hâter les ruines du monde, il ordonne au Temps de prêter sa faux à l'homme, et le Temps nous voit avec épouvante ravager dans un clin d'œil ce qu'il eût mis des siècles à détruire.

(Troisième partie, V, 3.)

La quatrième et dernière partie du *Génie du Christianisme* a pour objet le culte.

Le livre I traite des *Eglises*, *ornements*, *chants*, *prières*, *solennités*, etc.; le livre II des *Tombeaux*; le livre III est une *Vue générale du clergé* depuis Jésus-Christ, qui en est le fondateur et le chef invisible jusqu'au plus humble des ordres religieux; le livre IV est consacré aux *Missions*; le livre V aux *Ordres militaires* et à la *Chevalerie*; le livre VI aux *Services rendus à la société par le clergé et la religion chrétienne en général.*

DES CLOCHES

Lorsque, avec le chant de l'alouette, vers le temps de la coupe des blés, on entendait[1] au lever de l'aurore les petites sonneries de nos hameaux, on eût dit que l'ange des moissons, pour réveiller les laboureurs, soupirait, sur quelque instrument des Hébreux, l'histoire de Séphora ou de Noémi[2]. Il nous semble que si nous étions poète, nous ne dédaignerions point cette cloche *agitée par les fantômes* dans la vieille chapelle de la forêt, ni celle qu'une religieuse frayeur balançait dans nos campagnes pour écarter le tonnerre, ni celle qu'on sonnait la nuit, dans certains ports de mer, pour diriger le pilote à travers les écueils. Les carillons des cloches, au milieu de nos fêtes, semblaient augmenter l'allégresse publique : dans des calamités, au contraire, ces mêmes bruits devenaient terribles. Les cheveux dressent encore sur la tête au souvenir de ces jours de meurtre et de feu[3], retentissant des clameurs du tocsin. Qui de nous a perdu la mémoire de ces hurlements, de ces cris aigus, entrecoupés de silences, durant lesquels on distinguait de

1. *On entendait*, à l'imparfait, car, au moment où Chateaubriand écrivait, les sonneries étaient interdites. Les cloches devaient se faire entendre de nouveau, après dix ans de silence, dans la semaine même où parut le *Génie du Christianisme* (cf. p. 18). — 2. *Séphora*, femme de Moïse; *Noémi*, belle-mère de Ruth. — 3. Allusion aux excès de la Terreur.

rares coups de fusil, quelque voix lamentable et solitaire, et surtout le bourdonnement de la cloche d'alarme ou le son de l'horloge qui frappait tranquillement l'heure écoulée ?

Mais dans une société bien ordonnée, le bruit du tocsin, rappelant une idée de secours, frappait l'âme de pitié et de terreur, et faisait couler ainsi les deux sources des sensations tragiques[1].

Tels sont à peu près les sentiments que faisaient naître les sonneries de nos temples; sentiments d'autant plus beaux qu'il s'y mêlait un souvenir du ciel. Si les cloches eussent été attachées à tout autre monument qu'à des églises, elles auraient perdu leur sympathie morale avec nos cœurs. C'était Dieu même qui commandait à l'ange des victoires de lancer les *volées* qui publiaient nos triomphes, ou à l'ange de la mort de sonner le départ de l'âme qui venait de remonter à lui. Ainsi, par mille voix secrètes, une société chrétienne correspondait avec la Divinité, et ses institutions allaient se perdre mystérieusement à la source de tout mystère.

Laissons donc les cloches rassembler les fidèles, car la voix de l'homme n'est pas assez pure pour convoquer au pied des autels le repentir, l'innocence et le malheur. Chez les Sauvages de l'Amérique, lorsque des suppliants se présentent à la porte d'une cabane, c'est l'enfant du lieu qui introduit ces infortunés au foyer de son père : si les cloches nous étaient interdites, il faudrait choisir un enfant pour nous appeler à la maison du Seigneur. (Quatrième partie, I, 1.)

CIMETIÈRES DE CAMPAGNE

Les anciens n'ont point eu de lieux de sépulture plus agréables que nos cimetières de campagne : des prairies, des champs, des eaux, des bois, une riante perspective mariaient[2] leurs simples images avec les tombeaux des laboureurs. On aimait à voir le gros if qui ne végétait plus que par son écorce, les pommiers du presbytère, le haut gazon, les peupliers, l'ormeau des morts, et les buis, et les petites croix de consolation et de grâce. Au milieu des paisibles monuments, le temple villageois élevait sa tour surmontée de l'emblème rustique de la vigilance[3]. On n'entendait dans ces lieux que le chant du rouge-gorge et le bruit des brebis qui broutaient l'herbe de la tombe de leur ancien pasteur.

Les sentiers qui traversaient l'enclos bénit aboutissaient à

1. D'après les classiques, la *terreur* et la *pitié* sont les deux ressorts de la tragédie (cf. Boileau, *Art poétique*, ch. III). — 2. *Mariaient* : mélangeaient, unissaient intimement. — 3. Le coq en haut du clocher.

l'église ou à la maison du curé : ils étaient tracés par le pauvre et le pèlerin, qui allaient prier le Dieu des miracles ou demander le pain de l'aumône à l'homme de l'Évangile : l'indifférent ou le riche ne passait point sur ces tombeaux.

On y lisait pour toute épitaphe : *Guillaume* ou *Paul*, *né en telle année*, *mort en telle autre*. Sur quelques-uns il n'y avait pas même de nom. Le laboureur chrétien repose oublié dans la mort, comme ces végétaux utiles au milieu desquels il a vécu; la nature ne grave pas le nom des chênes sur leurs troncs abattus dans les forêts.

(Quatrième partie, II, 7.)

LES MARTYRS

1809

Les Martyrs sortent directement du *Génie du Christianisme*. En effet, dans le quatrième livre de la seconde partie (cf. p. 27), Chateaubriand avait essayé d'établir que la mythologie rapetisse la nature, que les divinités du paganisme, ne sont pas poétiquement supérieures aux divinités chrétiennes, enfin qu'une épopée chrétienne était possible, malgré Boileau et la tradition classique. Après avoir donné la théorie, il voulut fournir l'exemple.

DESSEIN DE L'OUVRAGE

J'ai avancé, dans un premier ouvrage, que la religion chrétienne me paraissait plus favorable que le paganisme au développement des caractères et au jeu des passions dans l'épopée. J'ai dit encore que le *merveilleux* de cette religion pouvait peut-être lutter contre le *merveilleux* emprunté de la mythologie. Ce sont ces opinions, plus ou moins combattues, que je cherche à appuyer par un exemple.

Pour rendre le lecteur juge impartial de ce grand procès littéraire, il m'a semblé qu'il fallait chercher un sujet qui renfermât dans un même cadre le tableau des deux religions, la morale, les sacrifices, les pompes des deux cultes; un sujet où le langage de la *Genèse* pût se faire entendre auprès de celui de l'*Odyssée*; où le *Jupiter* d'Homère vînt se placer à côté du *Jéhova* de Milton, sans blesser la piété, le goût et la vraisemblance des mœurs.

L'action se passe à la fin du IIIe siècle ap. J.-C., au moment où les chrétiens sont persécutés par Dioclétien. Un jeune chrétien, Eudore, fils de Lasthénès, a ramené chez elle Cymodocée, fille de Démodocus, prêtre d'Homère, qui s'était égarée dans un bois. Pendant qu'elle va le remercier avec son père, Dieu déclare aux saints du ciel qu'il choisit les deux jeunes gens pour racheter par leur sang le reste des chrétiens (livres I-III). Sur la demande de Démodocus, Eudore raconte sa vie. A l'âge de seize ans, il a été envoyé en otage à Rome, où il a oublié sa religion. Il a fait campagne avec l'armée romaine sur les bords du Rhin; il a été blessé dans une grande bataille contre les Francs, fait prisonnier, délivré. De retour à Rome, il a été nommé par l'empereur Constance gouverneur de l'Armorique, où il a été aimé de la druidesse Velléda. Il est revenu à sa religion, a fait pénitence publique, et vit maintenant avec son père (livres IV-XI). Cymodocée est touchée d'admiration et d'amour pour ce héros si modeste, et obtient de son père l'autorisation de se convertir pour l'épouser. Par malheur, elle est aimée du gouverneur d'Achaïe, Hiéroclès, favori de l'empereur Galère, et elle serait enlevée par ses soldats sans l'intervention d'Eudore. Tandis qu'Eudore est appelé à Rome pour se justifier, Cymodocée part pour Jérusalem chercher la sécurité et le baptême (livres XII-XIV). A Rome, Dioclétien promulgue l'édit de persécution, à la grande joie des démons de l'enfer ; puis il abdique en faveur de Galère, dont Hiéroclès devient le premier ministre. Eudore est arrêté comme chrétien et emprisonné. Cependant Cymodocée, baptisée dans les eaux du Jourdain, revient en Grèce, quand une tempête, suscitée par Dieu, la jette en Italie, où elle est arrêtée par les satellites d'Hiéroclès (livres XV-XX). On prépare le martyre des chrétiens, et Satan attise la fureur populaire. Cymodocée, qui a été sauvée et rendue à son père par un serviteur dévoué, court à l'amphithéâtre rejoindre Eudore et mourir avec lui. La religion chrétienne triomphe. Constantin, en arrivant à l'empire, la proclame religion officielle (livres XXI-XXIV).

Le roman est très habilement conçu; les descriptions (peintures de Rome, de la Grèce, de Jérusalem, de la Gaule, des catacombes, des forêts druidiques, des Francs, etc.) sont riches et harmonieuses en même temps que précises et évocatrices; mais les intermèdes de merveilleux, les passages consacrés au ciel et à l'enfer, où Chateaubriand fait parler Dieu, la Vierge, les saints, Satan, sont inutiles et faux; ils interrompent l'action humaine sans l'expliquer; c'est la partie manquée des *Martyrs*, et par suite la faillite de la thèse que voulait soutenir l'auteur.

PREMIÈRE RENCONTRE D'EUDORE ET DE CYMODOCÉE

C'était une de ces nuits dont les ombres transparentes semblent craindre de cacher le beau ciel de la Grèce : ce n'étaient point des ténèbres, c'était seulement l'absence du jour. L'air était doux comme le lait et le miel, et l'on sentait à le respirer un charme inexprimable. Les sommets du Taygète[1], les promontoires opposés de Colonides et d'Acritas[2], la mer de Messénie, brillaient de la plus tendre lumière; une flotte ionienne baissait ses voiles pour

1. *Taygète* : montagne du Péloponnèse, près de Sparte. — 2. Ces caps de *Colonides* (ou plutôt de *Colonis*) et d'*Acritas* sont au Sud du Péloponnèse.

entrer au port de Coronée[1], comme une troupe de colombes passagères ploie ses ailes pour se reposer sur un rivage hospitalier; Alcyon[2] gémissait doucement sur son nid, et le vent de la nuit apportait à Cymodocée les parfums du dictame[3] et la voix lointaine de Neptune[4]; assis dans la vallée, le berger contemplait la lune au milieu du brillant cortège des étoiles, et il se réjouissait dans son cœur.

La jeune prêtresse des Muses[5] marchait en silence le long des montagnes. Ses yeux erraient avec ravissement sur ces retraites enchantées, où les anciens avaient placé le berceau de Lycurgue[6] et celui de Jupiter[7], pour enseigner que la religion et ses lois doivent marcher ensemble et n'ont qu'une même origine. Remplie d'une frayeur religieuse, chaque mouvement, chaque bruit devenait pour elle un prodige; le vague murmure des mers était le sourd rugissement des lions de Cybèle descendue dans le bois d'Œchalie[8], et les rares gémissements du ramier étaient les sons du cor de Diane chassant sur les hauteurs de Thuria[9].

Elle avance, et d'aimables souvenirs, en remplaçant ses craintes, viennent occuper sa mémoire : elle se rappelle les antiques traditions de l'île fameuse[10] où elle reçut la lumière, le Labyrinthe, dont la danse des jeunes Crétoises imitait encore les détours[11], l'ingénieux Dédale, l'imprudent Icare[12], Idoménée et son fils[13], et surtout les deux sœurs infortunées, Phèdre et Ariadne[14].

1. *Coronée* (ou plutôt *Coron*) : port sur le golfe de Messénie. — 2. *Alcyon* : oiseau du genre martin-pêcheur, personnifié ici par Chateaubriand, conformément à la tradition mythologique. — 3. *Dictame* : plante à qui les anciens attribuaient la propriété de guérir les blessures et les plaies. — 4. *Neptune* : la mer, dont Neptune est le dieu. — 5. Cymodocée, fille de Démodocus, grand-prêtre du temple d'Homère, avait été « nourrie des plus beaux souvenirs de l'antiquité dans la docte familiarité des Muses ». — 6. *Lycurgue* : législateur des Spartiates (IXe s. av. J.-C.). — 7. La légende la plus courante disait que Jupiter avait été élevé en Crète, sur le mont Ida; Chateaubriand suit ici une autre tradition, d'après laquelle il aurait été nourri sur le mont Ithôme, en Messénie. — 8. *Œchalie*, ville de Messénie, consacrée par les mystères de Cybèle, déesse de la terre. — 9. *Thuria* : ville de Messénie. — 10. La Crète, où est née Cymodocée. — 11. La danse crétoise, connue sous le nom de danse d'Ariadne, imitait, d'après la tradition, les circuits du labyrinthe. — 12. *Dédale*, retenu prisonnier par Minos dans le labyrinthe qu'il avait construit, s'en échappa avec son fils *Icare* en s'envolant au moyen d'ailes qu'il avait fabriquées avec des plumes et de la cire. Icare s'approcha trop près du soleil, ce qui fit fondre la cire, et il tomba dans la mer. — 13. *Idoménée* : roi de Crète qui prit part à la guerre de Troie. En rentrant dans sa patrie, il fut surpris par une tempête et fit vœu d'immoler à Neptune, s'il échappait, le premier être vivant qu'il rencontrerait. Ce fut son fils qui se présenta d'abord à lui, et il le sacrifia. — 14. *Phèdre* : fille de Minos et de Pasiphaé, femme de Thésée, sœur d'Ariadne. Elle se prit de passion pour son beau-fils Hippolyte dont elle causa la mort et se tua (cf. la tragédie de Racine). *Ariadne* ou *Ariane* donna à Thésée le fil qui lui permit de sortir du labyrinthe après avoir tué le Minotaure.

Tout à coup elle s'aperçoit qu'elle a perdu le sentier de la montagne et qu'elle n'est plus suivie de sa nourrice : elle pousse un cri qui se perd dans les airs; elle implore les dieux des forêts, les napées[1], les dryades[2]; ils ne répondent point à sa voix, et elle croit que ces divinités absentes sont rassemblées dans les vallons du Ménale[3], où les Arcadiens leur offrent des sacrifices solennels. Cymodocée entendit de loin le bruit des eaux : aussitôt elle court se mettre sous la protection de la naïade[4] jusqu'au retour de l'aurore.

Une source d'eau vive, environnée de hauts peupliers, tombait à grands flots d'une roche élevée; au-dessus de cette roche, on voyait un autel dédié aux Nymphes, où les voyageurs offraient des vœux et des sacrifices. Cymodocée allait embrasser l'autel, et supplier la divinité de ce lieu de calmer les inquiétudes de son père, lorsqu'elle aperçut un jeune homme qui dormait, appuyé contre un rocher. Sa tête, inclinée sur sa poitrine, et penchée sur son épaule gauche, était un peu soutenue par le bois d'une lance; sa main, jetée négligemment sur cette lance, tenait à peine la laisse d'un chien qui semblait prêter l'oreille à quelque bruit; la lumière de l'astre de la nuit, passant entre les branches de deux cyprès, éclairait le visage du chasseur : tel un successeur d'Apelle[5] a représenté le sommeil d'Endymion[6]. La fille de Démodocus crut, en effet, que ce jeune homme était l'amant de la reine des forêts : une plainte du zéphyr lui parut être un soupir de la déesse, et elle prit un rayon fugitif de la lune dans le bocage pour le bord de la tunique blanche de Diane qui se retirait. Épouvantée, craignant d'avoir troublé les mystères, Cymodocée tombe à genoux et s'écrie :

" Redoutable sœur d'Apollon[7], épargnez une vierge imprudente : ne la percez pas de vos flèches ! Mon père n'a qu'une fille, et jamais ma mère, déjà tombée sous vos coups, ne fut orgueilleuse de ma naissance. "

A ces cris, le chien aboie, le chasseur se réveille. Surpris de voir cette jeune fille à genoux, il se lève précipitamment :

" Comment ! dit Cymodocée, confuse et toujours à genoux, est-ce que tu n'es pas le chasseur Endymion ?

1. *Napées* : nymphes des forêts. — 2. *Dryades* : cf. p. 28, n. 1. — 3. *Ménale* : montagne d'Arcadie consacrée au dieu Pan (cf. p. 28, n. 6). — 4. *Naïade* : cf. p. 28, n. 4. — 5. *Apelle*: le plus illustre des peintres grecs (IVe s. av. J.-C.). Ce successeur d'Apelle est Girodet, dont le *Sommeil d'Endymion* (1791) est actuellement au Louvre. — 6. *Endymion* : berger d'une merveilleuse beauté qui fut aimé de Diane. Elle obtint de Jupiter qu'il conserverait cette beauté dans un sommeil éternel. — 7. Diane et Apollon, enfants de Jupiter et de Latone, tuèrent à coups de flèches Niobé, mère de sept fils et de sept filles, qui s'était moquée de Latone et de ses deux enfants.

— Et vous, dit le jeune homme, non moins interdit, est-ce que vous n'êtes pas un ange ?

— Un ange ? " reprit la fille de Démodocus.

Alors l'étranger, plein de trouble :

" Femme, levez-vous; on ne doit se prosterner que devant Dieu. "

Après un moment de silence, la prêtresse des Muses dit au chasseur :

" Si tu n'es pas un dieu caché sous la forme d'un mortel, tu es sans doute un étranger que les satyres[1] ont égaré comme moi dans les bois. Dans quel port est entré ton vaisseau ? Viens-tu de Tyr, si célèbre par la richesse de ses marchands ? Viens-tu de la charmante Corinthe, où tes hôtes t'auront fait de riches présents ? Es-tu de ceux qui trafiquent sur les mers jusqu'aux colonnes d'Hercule[2] ? Suis-tu le cruel Mars dans les combats ? Ou plutôt, n'es-tu pas le fils d'un de ces mortels jadis décorés du sceptre, qui régnaient sur un pays fertile en troupeaux, et chéri des dieux ? "

L'étranger répondit :

" Il n'y a qu'un Dieu, maître de l'univers, et je ne suis qu'un homme plein de trouble et de faiblesse. Je m'appelle Eudore; je suis fils de Lasthénès. Je revenais de Thalames[3], je retournais chez mon père; la nuit m'a surpris : je me suis endormi au bord de cette fontaine. Mais vous, comment êtes-vous seule ici ? Que le ciel vous conserve la pudeur, la plus belle des craintes après celle de Dieu ! "

Le langage de cet homme confondait Cymodocée. Elle sentait devant lui un mélange d'amour et de respect, de confiance et de frayeur. La gravité de sa parole et la grâce de sa personne formaient à ses yeux un contraste extraordinaire. Elle entrevoyait comme une nouvelle espèce d'hommes, plus noble et plus sérieuse que celle qu'elle avait connue jusqu'alors. Croyant augmenter l'intérêt qu'Eudore paraissait prendre à son malheur, elle lui dit :

" Je suis fille d'Homère aux chants immortels. "

L'étranger se contenta de répliquer :

" Je connais un plus beau livre que le sien. "

Déconcertée par la brièveté de cette réponse, Cymodocée dit en elle-même :

1. *Satyres* : demi-dieux rustiques, représentés ordinairement avec des oreilles pointues, deux petites cornes sur le front et des jambes semblables à des pattes de chèvre. — 2. *Les colonnes d'Hercule* : le détroit de Gibraltar, situé entre deux hauts rochers (limite extrême des pérégrinations d'Hercule). — 3. *Thalames* : ville de Laconie où se trouvait un oracle d'Apollon.

« Ce jeune homme est de Sparte[1]. »

Puis elle raconta son histoire. Le fils de Lasthénès dit :

« Je vais vous reconduire chez votre père. »

Et il se mit à marcher devant elle.

La fille de Démodocus le suivait; on entendait le frémissement de son haleine, car elle tremblait. Pour se rassurer un peu, elle essaya de parler : elle hasarda quelques mots sur les charmes de la Nuit sacrée, épouse de l'Érèbe, et mère des Hespérides et de l'Amour[2]. Mais son guide l'interrompant :

« Je ne vois que des astres qui racontent la gloire du Très-Haut. »

Ces paroles jetèrent de nouveau la confusion dans le cœur de la prêtresse des Muses. Elle ne savait plus que penser de cet inconnu, qu'elle avait pris d'abord pour un immortel. Était-ce un impie qui errait la nuit sur la terre, haï des hommes et poursuivi par les dieux ? Était-ce un pirate descendu de quelque vaisseau, pour ravir les enfants à leurs pères ? Cymodocée commençait à sentir une vive frayeur, qu'elle n'osait toutefois laisser paraître. Son étonnement n'eut plus de bornes lorsqu'elle vit son guide s'incliner devant un esclave délaissé qu'ils trouvèrent au bord d'un chemin, l'appeler son frère, et lui donner son manteau pour couvrir sa nudité.

« Étranger, dit la fille de Démodocus, tu as cru sans doute que cet esclave était quelque dieu caché sous la figure d'un mendiant, pour éprouver le cœur des mortels ?

— Non, répondit Eudore, j'ai cru que c'était un homme. »

(Livre I.)

COMBAT DES ROMAINS ET DES FRANCS

Après quelques jours de marche, nous entrâmes[3] sur le sol marécageux des Bataves, qui n'est qu'une mince écorce de terre flottant sur un amas d'eau. Le pays, coupé par les bras du Rhin,

1. Les Spartiates avaient la réputation de parler fort peu et d'affecter la concision dans le langage. De là le nom de *laconisme*, Sparte étant la capitale de la Laconie. — 2. La *Nuit* : fille du Chaos; l'*Erèbe* : frère et époux de la Nuit; il fut changé en fleuve des Enfers, où il fut précipité par Jupiter pour avoir lutté contre lui avec les Titans; les *Hespérides* sont ordinairement représentées comme les filles d'Atlas; elles possédaient dans une île de l'Océan un jardin où se trouvaient des pommes d'or gardées par un dragon; l'*Amour* ou *Eros* était en réalité, avec le *Chaos*, l'un des deux principes fondamentaux de l'univers : le *Chaos* était la matière; l'*Amour* était la force attractive qui produit l'organisation de la matière, impose une forme au chaos. — 3. *Nous entrâmes.* C'est Eudore qui raconte l'expédition de l'armée de l'empereur romain Constance contre les Francs.

baigné et souvent inondé par l'Océan, embarrassé par des forêts de pins et de bouleaux, nous présentait à chaque pas des difficultés insurmontables.

Épuisé par les travaux de la journée, je n'avais durant la nuit que quelques heures pour reposer mes membres fatigués. Souvent il m'arrivait, pendant ce court repos, d'oublier ma nouvelle fortune[1]; et, lorsqu'aux premières blancheurs de l'aube les trompettes du camp venaient à sonner l'air de Diane[2], j'étais étonné d'ouvrir les yeux au milieu des bois. Il y avait pourtant un charme à ce réveil du guerrier échappé aux périls de la nuit. Je n'ai jamais entendu sans une certaine joie belliqueuse la fanfare du clairon répétée par l'écho des rochers, et les premiers hennissements des chevaux qui saluaient l'aurore. J'aimais à voir le camp plongé dans le sommeil, les tentes encore fermées d'où sortaient quelques soldats à moitié vêtus, le centurion qui se promenait devant les faisceaux d'armes en balançant son cep de vigne[3], la sentinelle immobile qui, pour résister au sommeil, tenait un doigt levé dans l'attitude du silence, le cavalier qui traversait le fleuve coloré des feux du matin, le victimaire[4] qui puisait l'eau du sacrifice, et souvent un berger appuyé sur sa houlette, qui regardait boire son troupeau.

Cette vie des camps ne me fit point tourner les yeux avec regrets vers les délices de Naples et de Rome, mais elle réveilla en moi une autre espèce de souvenirs. Plusieurs fois, pendant les longues nuits de l'automne, je me suis trouvé seul, placé en sentinelle, comme un simple soldat, aux avant-postes de l'armée. Tandis que je contemplais les feux réguliers des lignes romaines, et les feux épars des hordes des Francs, tandis que, l'arc à demi tendu, je prêtais l'oreille au murmure de l'armée ennemie, au bruit de la mer et au cri des oiseaux sauvages qui volaient dans l'obscurité, je réfléchissais sur ma bizarre destinée. Je songeais que j'étais là, combattant pour des Barbares, tyrans de la Grèce, contre d'autres Barbares dont je n'avais reçu aucune injure[5]. L'amour de la patrie se ranimait au fond de mon cœur. L'Arcadie[6] se montrait

1. *Fortune* : condition. Eudore, après avoir été l'ami du prince Constantin, fils de Constance, et un des familiers de l'empereur Dioclétien, était tombé en disgrâce et avait été envoyé comme simple soldat à l'avant-garde de l'armée. — 2. *L'air de Diane* : la Diane. Chateaubriand croyait sans doute que le nom de cette sonnerie venait de la déesse Diane; il vient probablement du mot latin *dies*, le jour, la diane étant la sonnerie du réveil. — 3. La marque du grade de centurion (commandant de 100 hommes) était un sarment de vigne qui lui servait à ranger ou à frapper les soldats. — 4. Le *victimaire*, ou sacrificateur, préparait les couteaux, l'eau, les vases nécessaires aux sacrifices. — 5. Eudore est Grec; il lutte pour les Barbares, c'est-à-dire pour les Romains grossiers qui ont asservi la patrie (146 av. J.-C.), contre ces autres Barbares que sont les Germains. — 6. *Arcadie* : région centrale du Péloponnèse, patrie d'Eudore.

à moi dans tous ses charmes. Que de fois, durant les marches pénibles, sous les pluies et dans les fanges de la Batavie, que de fois à l'abri des huttes des bergers où nous passions la nuit, que de fois, autour du feu que nous allumions pour nos veilles à la tête du camp[1], que de fois, dis-je, avec de jeunes Grecs exilés comme moi, je me suis entretenu de notre cher pays ! Nous racontions les jeux de notre enfance, les aventures de notre jeunesse, les histoires de nos familles. Un Athénien vantait les arts et la politesse[2] d'Athènes, un Spartiate demandait la préférence pour Lacédémone, un Macédonien mettait la phalange bien au-dessus de la légion[3] et ne pouvait souffrir que l'on comparât César à Alexandre. " C'est à ma patrie que vous devez Homère ", s'écriait un soldat de Smyrne[4], et à l'instant même il chantait ou le dénombrement des vaisseaux[5] ou le combat d'Ajax et d'Hector[6] : ainsi les Athéniens, prisonniers à Syracuse, redisaient autrefois les vers d'Euripide[7] pour se consoler de leur captivité.

Mais lorsque, jetant les yeux autour de nous, nous apercevions les horizons noirs et plats de la Germanie, ce ciel sans lumière qui semble vous écraser sous sa voûte abaissée, ce soleil impuissant qui ne peint les objets d'aucune couleur, quand nous venions à nous rappeler les paysages éclatants de la Grèce, la haute et riche bordure de leurs horizons, le parfum de nos orangers, la beauté de nos fleurs, l'azur velouté d'un ciel où se joue une lumière dorée, alors il nous prenait un désir si violent de revoir notre terre natale, que nous étions près d'abandonner les aigles[8]. Il n'y avait qu'un Grec parmi nous qui blâmât ces sentiments, qui nous exhortât à remplir nos devoirs, et à nous soumettre à notre destinée. Nous le prenions pour un lâche[9]. Quelque temps après il combattit et mourut en héros, et nous apprîmes qu'il était chrétien.

Les Francs avaient été surpris par Constance[10] : ils évitèrent

1. *A la tête du camp* : devant le camp. — 2. *La politesse* : le raffinement. — 3. *La phalange* : corps militaire de 16 000 hommes, élément constitutif de l'armée macédonienne; *la légion* : corps de 6 à 10 000 hommes, élément constitutif de l'armée romaine. — 4. Smyrne était une des sept villes qui prétendaient avoir vu naître Homère, les autres étant Chio, Colophon, Salamine, Rhodes, Argos, Athènes. — 5. Cf. chant II de l'*Iliade*. — 6. Cf. chant VII de l'*Iliade*. — 7. On raconte que, pendant la guerre du Péloponnèse, après la défaite de Nicias en Sicile (413 av. J.-C.), plusieurs Athéniens, devenus esclaves et condamnés au travail des mines dans les Latomies de Syracuse, obtinrent la liberté pour prix des vers d'Euripide qu'ils récitaient à leurs maîtres. — 8. *Les aigles* : les enseignes. Chaque légion avait comme enseigne un aigle d'argent ou de bronze aux ailes étendues porté en haut d'une hampe. — 9. *Lâche*, parce qu'il n'osait pas déserter. — 10. Constance Chlore, empereur de 305 à 306, avait été chargé par Dioclétien, à partir de 292, du gouvernement de l'Espagne, de la Gaule et de la Grande-Bretagne, constamment menacées par les invasions germaniques.

d'abord le combat, mais aussitôt qu'ils eurent rassemblé leurs guerriers, ils vinrent audacieusement au-devant de nous, et nous offrirent la bataille sur le rivage de la mer. On passa la nuit à se préparer de part et d'autre, et le lendemain, au lever du jour, les armées se trouvèrent en présence....

Parés de la dépouille des ours, des veaux marins[1], des urochs[2] et des sangliers, les Francs se montraient de loin comme un troupeau de bêtes féroces. Une tunique courte et serrée laissait voir toute la hauteur de leur taille, et ne leur cachait pas le genou. Les yeux de ces barbares ont la couleur d'une mer orageuse, leur chevelure blonde, ramenée en avant sur leur poitrine et teinte d'une liqueur rouge, est semblable à du sang et à du feu. La plupart ne laissent croître leur barbe qu'au-dessus de la bouche, afin de donner à leurs lèvres plus de ressemblance avec le mufle des dogues et des loups. Les uns chargent leur main droite d'une longue framée[3], et leur main gauche d'un bouclier qu'ils tournent comme une roue rapide; d'autres, au lieu de ce bouclier, tiennent une espèce de javelot, nommé angon, où s'enfoncent deux fers recourbés, mais tous ont à la ceinture la redoutable francisque, espèce de hache à deux tranchants, dont le manche est recouvert d'un dur acier; arme funeste que le Franc jette en poussant un cri de mort, et qui manque rarement de frapper le but qu'un œil intrépide a marqué.

Ces barbares, fidèles aux usages des anciens Germains[4], s'étaient formés en coin, leur ordre accoutumé de bataille. Le formidable triangle, où l'on ne distinguait qu'une forêt de framées, des peaux de bêtes et des corps demi-nus, s'avançait avec impétuosité, mais d'un mouvement égal, pour percer la ligne romaine. A la pointe de ce triangle étaient placés des braves qui conservaient une barbe longue et hérissée, et qui portaient au bras un anneau de fer. Ils avaient juré de ne quitter ces marques de servitude qu'après avoir sacrifié un Romain. Chaque chef dans ce vaste corps était environné des guerriers de sa famille afin que, plus ferme dans le choc, il remportât la victoire ou mourût avec ses amis; chaque tribu se ralliait sous un symbole: la plus noble d'entre elles se distinguait par des abeilles ou trois fers de lance[5]. Le vieux roi des Sicambres[6], Pharamond, conduisait l'armée entière et laissait une partie du

1. *Veaux marins* : phoques. — 2. *Urochs* ou *aurochs*: bœufs sauvages qui vivaient alors dans les forêts de la Germanie. — 3. *Framée* : sorte de javelot. — 4. Les détails qui suivent sont empruntés à Tacite, *Mœurs des Germains*, ch. VI, VII, XI. — 5. « Je place ici l'origine des armes de la monarchie » (note de Chateaubriand). Les fleurs de lis qui figurent dans les armes des rois de France ne sont peut-être en effet que la déformation de fers de lance. — 6. *Sicambres* : tribu germanique de la rive droite du Rhin (Prusse rhénane.)

commandement à son petit-fils Mérovée. Les cavaliers Francs, en face de la cavalerie romaine, couvraient les deux côtés de leur infanterie : à leurs casques en forme de gueules ouvertes ombragées de deux ailes de vautour, à leurs corselets de fer, à leurs boucliers blancs, on les eût pris pour des fantômes ou pour ces figures bizarres que l'on aperçoit au milieu des nuages pendant une tempête. Clodion, fils de Pharamond et père de Mérovée, brillait à la tête de ces cavaliers menaçants.

Sur une grève, derrière cet essaim d'ennemis, on apercevait leur camp, semblable à un marché de laboureurs et de pêcheurs; il était rempli de femmes et d'enfants, et retranché avec des bateaux de cuir et des chariots attelés de grands bœufs. Non loin de ce camp champêtre, trois sorcières en lambeaux faisaient sortir de jeunes poulains d'un bois sacré, afin de découvrir par leur course à quel parti Tuiston[1] promettait la victoire. La mer d'un côté, des forêts de l'autre, formaient le cadre de ce grand tableau.

Le soleil du matin, s'échappant des replis d'un nuage d'or, verse tout à coup sa lumière sur les bois, l'Océan et les deux armées. La terre paraît embrasée du feu des casques et des lances; les instruments guerriers sonnent l'air antique de Jules César partant pour les Gaules. La rage s'empare de tous les cœurs, les yeux roulent du sang, la main frémit sur l'épée. Les chevaux se cabrent, creusent l'arène, secouent leur crinière, frappent de leur bouche écumante leur poitrine enflammée, ou lèvent vers le ciel leurs naseaux brûlants, pour respirer les sons belliqueux. Les Romains commencent le chant de Probus[2] :

“ Quand nous aurons vaincu mille guerriers francs, combien ne vaincrons-nous pas de millions de Perses ! ”

Les Grecs répètent en chœur le Pœan[3], et les Gaulois l'hymne des Druides. Les Francs répondent à ces cantiques de mort : ils serrent leurs boucliers contre leurs bouches, et font entendre un mugissement semblable au bruit de la mer que le vent brise contre un rocher; puis tout à coup, poussant un cri aigu, ils entonnent le bardit[4] à la louange de leurs héros :

“ Pharamond ! Pharamond ! nous avons combattu avec l'épée.

“ Nous avons lancé la francisque à deux tranchants; la sueur tombait du front des guerriers et ruisselait le long de leurs bras.

1. *Tuiston* : dieu des Enfers. — 2. *Probus* : empereur romain de 276 à 282. Il repoussa en 277 une terrible invasion germanique en Gaule. Le *chant de Probus*, conservé par Flavius Vopiscus, dit exactement : « Nous avons vaincu en une fois mille Francs, mille Sarmates; nous cherchons mille et mille et mille et mille et mille Perses. — 3. *Pœan* : hymne en l'honneur d'Apollon; ici : chant de guerre des Grecs. — 4. *Bardit* : chant des bardes, chant de guerre des Gaulois et des Germains.

Les aigles et les oiseaux aux pieds jaunes[1] poussaient des cris de joie; le corbeau nageait dans le sang des morts; tout l'Océan n'était qu'une plaie : les vierges ont pleuré longtemps !

" Pharamond ! Pharamond ! nous avons combattu avec l'épée.

" Nos pères sont morts dans les batailles, tous les vautours en ont gémi : nos pères les rassasiaient de carnage[2]. Choisissons des épouses dont le lait soit du sang, et qui remplissent de valeur le cœur de nos fils. Pharamond, le bardit est achevé, les heures de la vie s'écoulent; nous sourirons quand il faudra mourir[3] ! "

Ainsi chantaient quarante mille barbares. Leurs cavaliers haussaient et baissaient leurs boucliers blancs en cadence; et, à chaque refrain, ils frappaient du fer d'un javelot leur poitrine couverte de fer....

Déjà les Francs sont à la portée du trait de nos troupes légères. Les deux armées s'arrêtent. Il se fait un profond silence. César[4], du milieu de la légion chrétienne, ordonne d'élever la cotte d'armes de pourpre, signal du combat; les archers tendent leurs arcs, les fantassins baissent leurs piques, les cavaliers tirent tous à la fois leurs épées, dont les éclairs se croisent dans les airs. Un cri s'élève du fond des légions : " Victoire à l'Empereur ! " Les barbares repoussent ce cri par un effroyable rugissement : la foudre éclate avec moins de rage sur les sommets de l'Apennin, l'Etna gronde avec moins de violence, lorsqu'il verse au sein des mers des torrents de feu; l'Océan bat ses rivages avec moins de fracas, quand un tourbillon, descendu par l'ordre de l'Éternel, a déchaîné les cataractes de l'abîme.

Les Gaulois lancent les premiers leurs javelots contre les Francs, mettent l'épée à la main, et courent à l'ennemi. L'ennemi les reçoit avec intrépidité. Trois fois ils retournent à la charge; trois fois ils viennent se briser contre le vaste corps qui les repousse : tel un grand vaisseau voguant par un vent contraire rejette de ses deux bords les vagues qui fuient et murmurent

1. *Oiseaux aux pieds jaunes* : oiseaux de mer du genre mouette. — 2. *Carnage*, sens concret : chairs mortes. — 3. Ce chant est imité du chant de Lodbrog, cité par Saxo Grammaticus, historien de la Suède. Augustin Thierry a raconté, dans la préface de ses *Récits des temps mérovingiens*, que la lecture de ce morceau (il avait quatorze ans quand parurent *les Martyrs*) avait déterminé sa vocation d'historien : « L'impression que fit sur moi le chant de guerre des Francs, écrit-il, est quelque chose d'électrique. Je quittai la place où j'étais assis, et, marchant d'un bout à l'autre de la salle, je répétai à haute voix en faisant sonner mes pas sur le pavé : « Pharamond ! Pharamond ! Nous avons combattu avec l'épée ! » Aujourd'hui, si je me fais lire la page qui m'a tant frappé, je retrouve mes émotions d'il y a trente ans. » — 4. *César*. Il y avait alors quatre empereurs (la tétrarchie) : Dioclétien et Maximien portaient le titre d'Auguste, Galère et Constance celui de César.

le long de ses flancs. Non moins braves et plus habiles que les Gaulois, les Grecs font pleuvoir sur les Sicambres une grêle de flèches; et, reculant peu à peu sans rompre nos rangs, nous fatiguons les deux lignes du triangle de l'ennemi. Comme un taureau vainqueur dans cent pâturages, fier de sa corne mutilée et des cicatrices de sa large poitrine, supporte avec impatience la piqûre du taon, sous les ardeurs du midi : ainsi les Francs, percés de nos dards, deviennent furieux à ces blessures sans vengeance et sans gloire. Transportés d'une aveugle rage, ils brisent le trait dans leur sein, se roulent par terre et se débattent dans les angoisses de la douleur.

La cavalerie romaine s'ébranle pour enfoncer les barbares, Clodion se précipite à sa rencontre. Le roi chevelu pressait une cavale stérile, moitié blanche, moitié noire, élevée parmi des troupeaux de rennes et de chevreuils, dans le haras de Pharamond. Les barbares prétendaient qu'elle était de la race de Rinfax, cheval de la Nuit, à la crinière gelée, et de Skinfax, cheval du Jour, à la crinière lumineuse. Lorsque, pendant l'hiver, elle emportait son maître sur son char d'écorce sans essieu et sans roues, jamais ses pieds ne s'enfonçaient dans les frimas, et plus légère qu'une feuille de bouleau roulée par le vent, elle effleurait à peine la cime des neiges nouvellement tombées.

Un combat violent s'engage entre les cavaliers sur les deux ailes de l'armée.

Cependant la masse effrayante de l'infanterie des barbares vient toujours roulant vers les légions. Les légions s'ouvrent, changent leur front de bataille, attaquent à grands coups de pique les deux côtés du triangle de l'ennemi. Les vélites[1], les Grecs et les Gaulois se portent sur le troisième côté. Les Francs sont assiégés comme une vaste forteresse. La mêlée s'échauffe; un tourbillon de poussière rouge s'élève et s'arrête au milieu des combattants. Le sang coule comme les torrents grossis par les pluies de l'hiver, comme les flots de l'Euripe dans le détroit de l'Eubée[2]. Le Franc, fier de ses larges blessures, qui paraissent avec plus d'éclat sur la blancheur d'un corps demi-nu, est un spectre déchaîné du monument[3], et rugissant au milieu des morts. Au brillant éclat des armes a succédé la sombre couleur de la poussière et du carnage. Les casques sont brisés, les panaches abattus, les boucliers fendus, les cuirasses percées. L'haleine enflammée de cent mille combattants,

1. *Vélites* : soldats d'infanterie légère de l'armée romaine. — 2. *L'Eubée* : grande île qui s'allonge à l'Est de la Grèce continentale dont elle est séparée par un bras de mer étroit et au courant rapide appelé l'*Euripe*. — 3. *Monument* (funéraire). On croyait que les divinités infernales tenaient les ombres ou âmes des morts enchaînées dans leurs tombeaux.

le souffle épais des chevaux, la vapeur des sueurs et du sang forment sur le champ de bataille une espèce de météore que traverse de temps en temps la lueur d'un glaive, comme le trait brillant du foudre[1] dans la livide clarté d'un orage. Au milieu des cris, des insultes, des menaces, du bruit des épées, des coups de javelots, du sifflement des flèches et des dards, du gémissement des machines de guerre, on n'entend plus la voix des chefs.

...Cependant, les bras fatigués portent des coups ralentis; les clameurs deviennent plus déchirantes et plus plaintives. Tantôt une grande partie des blessés, expirant à la fois, laisse régner un affreux silence; tantôt la voix de la douleur se ranime et monte en longs accents vers le ciel. On voit errer des chevaux sans maîtres, qui bondissent ou s'abattent sur des cadavres : quelques machines de guerre abandonnées brûlent çà et là comme les torches de ces immenses funérailles.

La nuit vint couvrir de son obscurité ce théâtre des fureurs humaines.... Cette nuit, si nécessaire à notre repos, ne fut pour nous qu'une nuit d'alarmes : à chaque instant, nous craignions d'être attaqués. Les barbares jetaient des cris qui ressemblaient aux hurlements des bêtes féroces; ils pleuraient les braves qu'ils avaient perdus et se préparaient eux-mêmes à mourir. Nous n'osions ni quitter nos armes, ni allumer des feux. Les soldats romains frémissaient, se cherchaient dans les ténèbres; ils s'appelaient, ils se demandaient un peu de pain ou d'eau; ils pansaient leurs blessures avec leurs vêtements déchirés. Les sentinelles se répondaient en se renvoyant de l'une à l'autre le cri des veilles.

(Livre VI.)

VELLÉDA

Les soldats m'avertirent que depuis quelques jours une femme sortait des bois à l'entrée de la nuit[2], montait seule dans une barque, traversait le lac, descendait sur la rive opposée, et disparaissait.

Je n'ignorais pas que les Gaulois confient aux femmes les secrets les plus importants; que souvent ils soumettent à un conseil de leurs filles et de leurs épouses les affaires qu'ils n'ont pu régler entre eux. Les habitants de l'Armorique avaient conservé leurs mœurs primitives, et portaient avec impatience le joug romain.

1. *Du Foudre* : de la foudre. Actuellement, ce mot n'est plus masculin qu'au sens figuré (foudre de guerre). — 2. La scène se passe dans la région de Rennes. Eudore, rentré en grâce, a été nommé gouverneur de l'Armorique.

Braves, comme tous les Gaulois, jusqu'à la témérité, ils se distinguaient par une franchise de caractère qui leur est particulière, par des haines et des amours violentes, et par une opiniâtreté de sentiments que rien ne peut changer ni vaincre....

Vers le soir, je me revêtis de mes armes, que je recouvris d'une saye[1], et, sortant secrètement du château, j'allai me placer sur le rivage du lac, dans l'endroit que les soldats m'avaient indiqué.

Caché parmi les rochers, j'attendis quelque temps sans voir rien paraître. Tout à coup mon oreille est frappée des sons que le vent m'apporte du milieu du lac. J'écoute, et je distingue les accents d'une voix humaine. En même temps, je découvre un esquif suspendu au sommet d'une vague; il redescend, disparaît entre deux flots, puis se montre encore sur la cime d'une lame élevée; il approche du rivage; une femme le conduisait : elle chantait en luttant contre la tempête, et semblait se jouer dans les vents : on eût dit qu'ils étaient sous sa puissance, tant elle paraissait les braver. Je la voyais jeter tour à tour en sacrifice, dans le lac, des pièces de toile, des toisons de brebis, des pains de cire, et de petites meules[2] d'or et d'argent.

Bientôt elle touche à la rive, s'élance à terre, attache sa nacelle au tronc d'un saule, et s'enfonce dans le bois en s'appuyant sur la rame de peuplier qu'elle tenait à la main. Elle passa tout près de moi sans me voir. Sa taille était haute; une tunique noire[3], courte et sans manches, servait à peine de voile à sa nudité. Elle portait une faucille d'or suspendue à une ceinture d'airain, et elle était couronnée d'une branche de chêne. La blancheur de ses bras et de son teint, ses yeux bleus, ses lèvres de rose, ses longs cheveux blonds qui flottaient épars, annonçaient la fille des Gaulois, et contrastaient, par leur douceur, avec sa démarche fière et sauvage. Elle chantait d'une voix mélodieuse des paroles terribles, et son sein découvert s'abaissait et s'élevait comme l'écume des flots.

Je la suivis à quelque distance. Elle traversa d'abord une châtaigneraie dont les arbres, vieux comme le temps, étaient presque tous desséchés par la cime. Nous marchâmes ensuite plus d'une heure sur une lande couverte de mousse et de fougère. Au bout de cette lande nous trouvâmes un bois, et au milieu de ce bois une autre bruyère de plusieurs milles de tour. Jamais le sol n'en avait été défriché, et l'on y avait semé des pierres, pour qu'il restât inaccessible à la faux et à la charrue. A l'extrémité de cette arène[4] s'élevait une de ces roches isolées que les Gaulois appellent

1. *Saye*, ou *sayon* : casaque gauloise, ouverte et sans manches. — 2. *Meules* : masses, lingots. — 3. *Noire*, parce qu'elle va vouer les Romains aux divinités vengeresses. — 4. *Arène* : étendue sablonneuse.

dolmen[1], et qui marquent le tombeau de quelque guerrier. Un jour le laboureur, au milieu de ses sillons, contemplera ces informes pyramides : effrayé de la grandeur du monument, il attribuera peut-être à des puissances invisibles et funestes ce qui ne sera que le témoignage de la force et de la rudesse de ses aïeux.

La nuit était descendue. La jeune fille s'arrêta non loin de la pierre, frappa trois fois des mains, en prononçant à haute voix ce mot mystérieux :

" Au gui l'an neuf ! "

A l'instant, je vis briller dans la profondeur du bois mille lumières; chaque chêne enfanta pour ainsi dire un Gaulois; les barbares sortirent en foule de leur retraite : les uns étaient complètement armés; les autres portaient une branche de chêne dans la main droite, et un flambeau dans la gauche. A la faveur de mon déguisement, je me mêle à leur troupe : au premier désordre de l'assemblée succèdent bientôt l'ordre et le recueillement, et l'on commence une procession solennelle.

Des eubages[2] marchaient à la tête, conduisant deux taureaux blancs qui devaient servir de victimes; les bardes[3] suivaient, en chantant sur une espèce de guitare les louanges de Teutatès[4]; après eux venaient les disciples; ils étaient accompagnés d'un héraut d'armes vêtu de blanc, couvert d'un chapeau surmonté de deux ailes, et tenant à[5] sa main une branche de verveine entourée de deux serpents[6]. Trois senanis[7], représentant trois druides, s'avançaient à la suite du héraut d'armes : l'un portait un pain, l'autre un vase plein d'eau, le troisième une main d'ivoire. Enfin la druidesse[8] (je reconnus alors sa profession) venait la dernière. Elle tenait la place de l'archidruide, dont elle était descendue.

On s'avança vers le chêne de trente ans où l'on avait découvert le gui sacré. On dressa au pied de l'arbre un autel de gazon. Les senanis y brûlèrent un peu de pain, et y répandirent quelques gouttes d'un vin pur. Ensuite un eubage vêtu de blanc monta sur le chêne, et coupa le gui avec la faucille d'or de la druidesse; une saye[9] blanche étendue sous l'arbre reçut la plante bénite; les autres eubages frappèrent les victimes; et le gui, divisé en égales parties, fut distribué à l'assemblée.

1. *Dolmen* : table de pierre soutenue par deux autres pierres. Chateaubriand confond le dolmen avec le *menhir*, pierre dressée, « roche isolée ». — 2. *Eubages* : ministres inférieurs du culte, à la fois devins et sacrificateurs. — 3. *Bardes* : poètes chanteurs et musiciens. — 4. *Teutatès* : dieu gaulois qui présidait à l'éloquence, au commerce et à la guerre. — 5. *A* : dans. — 6. C'est à peu près ainsi que les Romains figuraient Mercure, qui avait des ailes aux pieds et portait le caducée. — 7. *Senanis* : philosophes gaulois qui succédèrent aux Druides. — 8. Velléda. — 9. *Saye* : cf. p. 49, n. 1..

Cette cérémonie achevée, on retourna à la pierre du tombeau[1]; on planta une épée nue, pour indiquer le centre du Mallus ou du conseil; au pied du dolmen étaient appuyées deux autres pierres, qui en soutenaient une troisième couchée horizontalement[2]. La druidesse monte à cette tribune. Les Gaulois debout et armés l'environnent, tandis que les senanis et les eubages élèvent des flambeaux : les cœurs étaient secrètement attendris par cette scène, qui leur rappelait l'ancienne liberté. Quelques guerriers en cheveux blancs laissaient tomber de grosses larmes, qui roulaient sur leurs boucliers. Tous penchés en avant, et appuyés sur leurs lances, ils semblaient déjà prêter l'oreille aux paroles de la druidesse.

Elle promena quelque temps ses regards sur ces guerriers, représentants d'un peuple qui le premier osa dire aux hommes : " Malheur aux vaincus[3] ! " Mot impie retombé maintenant sur sa tête ! On lisait sur le visage de la druidesse l'émotion que lui causait cet exemple des vicissitudes de la fortune. Elle sortit bientôt de ses réflexions, et prononça ce discours :

" Fidèles enfants de Teutatès, vous qui, au milieu de l'esclavage de votre patrie, avez conservé la religion et les lois de vos pères, je ne puis vous contempler ici sans verser des larmes ! Est-ce là le reste de cette nation qui donnait des lois au monde[4] ? Où sont ces États florissants de la Gaule[5], ce conseil des femmes, auquel se soumit le grand Annibal[6] ? Où sont ces druides qui élevaient dans leurs collèges sacrés une nombreuse jeunesse ? Proscrits par les tyrans, à peine quelques-uns d'entre eux vivent inconnus dans des antres sauvages. Velléda, une faible druidesse, voilà donc tout ce qui vous reste aujourd'hui pour accomplir vos sacrifices ! O île de Sayne[7], île vénérable et sacrée ! je suis demeurée seule des neuf vierges qui desservaient votre sanctuaire. Bientôt Teutatès n'aura plus ni prêtres ni autels. Mais pourquoi perdrions-nous l'espérance ? J'ai à vous annoncer les secours d'un allié puissant : auriez-vous besoin qu'on vous retraçât le

1. Au « dolmen », ou plutôt au menhir. — 2. Voilà véritablement le dolmen. — 3. C'est le mot du chef gaulois mettant son épée dans la balance pesant la rançon romaine après la prise de Rome (390 av. J.-C.). — 4. Les Gaulois avaient pris deux fois Rome; ils étaient allés en Grèce où ils avaient pillé le temple de Delphes, et ils avaient fondé en Asie Mineure le royaume des Galates. — 5. César, dans ses *Commentaires* (VI, 13), montre les Gaulois tenant des espèces d'états généraux. — 6. D'après un historien ancien, l'administration des affaires civiles et politiques aurait été confiée pendant assez longtemps à un sénat de femmes, choisies par les différents cantons. Annibal, dans son traité avec les Gaulois, aurait accepté la clause suivante : « Si quelque Carthaginois se trouve lésé par un Gaulois, l'affaire sera jugée par le conseil suprême des femmes gauloises. » — 7. *Ile de Sayne* île de Sein, sur la côte Ouest du Finistère.

tableau de vos souffrances, pour vous faire courir aux armes ? Esclaves en naissant, à peine avez-vous passé le premier âge, que les Romains vous enlèvent. Que devenez-vous ? Je l'ignore. Parvenus à l'âge d'homme, vous allez mourir sur la frontière pour la défense de vos tyrans, ou creuser le sillon qui les nourrit. Condamnés aux plus rudes travaux, vous abattez vos forêts, vous tracez avec des fatigues inouïes les routes qui introduisent l'esclavage jusque dans le cœur de votre pays : la servitude, l'oppression et la mort, accourent sur ces chemins en poussant des cris d'allégresse, aussitôt que le passage est ouvert[1]. Enfin, si vous survivez à tant d'outrages, vous serez conduits à Rome : là, renfermés dans un amphithéâtre, on vous forcera de vous entre-tuer, pour amuser par votre agonie une populace féroce[2]. Gaulois, il est une manière plus digne de vous de visiter Rome ! Souvenez-vous que votre nom veut dire voyageur[3]. Apparaissez tout à coup au Capitole, comme ces terribles voyageurs, vos aïeux et vos devanciers. On vous demande à l'amphithéâtre de Titus[4] ? Partez ! Obéissez aux illustres spectateurs qui vous appellent. Allez apprendre aux Romains à mourir, mais d'une tout autre façon qu'en répandant votre sang dans leurs fêtes : assez longtemps ils ont étudié la leçon, faites-la-leur pratiquer. Ce que je vous propose n'est point impossible. Les tribus des Francs qui s'étaient établis en Espagne retournent maintenant dans leur pays[5]; leur flotte est à la vue[6] de vos côtes : ils n'attendent qu'un signal pour vous secourir. Mais si le ciel ne couronne pas vos efforts, si la fortune[7] des Césars doit l'emporter encore, eh bien ! nous irons chercher avec les Francs un coin du monde où l'esclavage soit inconnu. Que les peuples étrangers nous accordent ou nous refusent une patrie, terre ne peut nous manquer pour y vivre ou pour y mourir. »

Je ne puis vous peindre, seigneurs, l'effet de ce discours prononcé à la lueur des flambeaux, sur une bruyère, près d'une tombe, dans le sang des taureaux mal égorgés, qui mêlaient leurs derniers mugissements aux sifflements de la tempête : ainsi l'on représente ces assemblées des esprits de ténèbres, que des magiciennes convoquent la nuit dans les lieux sauvages. Les imaginations échauffées ne laissèrent aucune autorité à la raison. On résolut, sans délibérer, de se réunir aux Francs. Trois fois un guerrier

1. Allusion aux voies romaines qui sillonnaient la Gaule. — 2. La plupart des gladiateurs étaient Gaulois. — 3. Étymologie contestable. Chateaubriand rattache le mot *Gaulois* au mot celtique *wallen*, voyager. — 4. Le Colisée. — 5. Chateaubriand dit en note que les Francs avaient pénétré jusqu'en Espagne vers ce temps-là, et qu'ils y demeurèrent douze ans. — 6. *A la vue* : en vue. — 7. *Fortune* : chance.

voulut ouvrir un avis contraire, trois fois on le força au silence, et à la troisième fois le héraut d'armes lui coupa un pan de son manteau.

Ce n'était là que le prélude d'une scène épouvantable. La foule demande à grands cris le sacrifice d'une victime humaine, afin de mieux connaître la volonté du ciel. Les druides réservaient autrefois pour ces sacrifices quelque malfaiteur déjà condamné par les lois. La druidesse fut obligée de déclarer que, puisqu'il n'y avait point de victime désignée, la religion demandait un vieillard, comme l'holocauste[1] le plus agréable à Teutatès.

Aussitôt on apporte un bassin de fer, sur lequel Velléda devait égorger le vieillard. On place le bassin à terre devant elle. Elle n'était point descendue de la tribune funèbre d'où elle avait harangué le peuple; mais elle s'était assise sur un triangle de bronze, les vêtements en désordre, la tête échevelée, tenant un poignard à la main, et une torche flamboyante sous ses pieds. Je ne sais comment aurait fini cette scène : j'aurais peut-être succombé sous le fer des barbares en essayant d'interrompre le sacrifice; le ciel, dans sa bonté ou dans sa colère, mit fin à mes perplexités. Les astres penchaient vers leur couchant. Les Gaulois craignirent d'être surpris par la lumière. Ils résolurent d'attendre, pour offrir l'hostie[2] abominable, que Dis[3], père des ombres, eût ramené une autre nuit dans les cieux. La foule se dispersa sur les bruyères, et les flambeaux s'éteignirent. Seulement quelques torches agitées par le vent brillaient encore çà et là dans la profondeur des bois, et l'on entendait le chœur lointain des bardes, qui chantait en se retirant ces paroles lugubres :

" Teutatès veut du sang; il a parlé dans le chêne des druides. Le gui sacré a été coupé avec une faucille d'or, au sixième jour de la lune, au premier jour du siècle. Teutatès veut du sang; il a parlé dans le chêne des druides. "

(Livre IX.)

MARTYRE D'EUDORE ET DE CYMODOCÉE

Cependant le peuple s'assemblait à l'amphithéâtre de Vespasien[4] : Rome entière était accourue pour boire le sang des martyrs. Cent mille spectateurs, les uns voilés d'un pan de leur robe, les autres portant sur la tête une ombrelle, étaient répandus sur les gradins. La foule, vomie[5] par les portiques, descendait

1. *Holocauste* : sacrifice solennel et important (proprement : sacrifice dans lequel la victime était entièrement consumée par le feu). — 2. *Hostie* : victime (sens propre). — 3. *Dis* : autre nom de Pluton, dieu des Enfers. — 4. Le Colisée, entrepris par Vespasien, terminé par Titus. — 5. *Vomie*. Les ouvertures par où la foule débouchait sur le théâtre s'appelaient *vomitoires*.

et montait le long des escaliers extérieurs, et prenait son rang sur les marches revêtues de marbre. Des grilles d'or défendaient le banc des sénateurs de l'attaque des bêtes féroces. Pour rafraîchir l'air, des machines ingénieuses faisaient monter des sources de vin et d'eau safranée, qui retombaient en rosée odoriférante. Trois mille statues de bronze, une multitude infinie de tableaux, des colonnes de jaspe et de porphyre, des balustres de cristal, des vases d'un travail précieux décoraient la scène. Dans un canal creusé autour de l'arène, nageaient un hippopotame et des crocodiles; cinq cents lions, quarante éléphants, des tigres, des panthères, des taureaux, des ours accoutumés à déchirer des hommes rugissaient dans les cavernes de l'amphithéâtre. Des gladiateurs, non moins féroces, essayaient çà et là leurs bras ensanglantés.

. . . .

Tout à coup retentit le bruit des armes; le pont qui conduisait du palais de l'Empereur à l'amphithéâtre s'abaisse, et Galérius[1] ne fait qu'un pas de son lit de douleur au carnage : il avait surmonté son mal pour se présenter une dernière fois au peuple. Il sentait à la fois l'empire et la vie lui échapper : un message arrivé des Gaules venait de lui apprendre la mort de Constance[2]. Constantin, proclamé César par les légions[3], s'était en même temps déclaré chrétien et se disposait à marcher vers Rome. Ces nouvelles, en portant le trouble dans l'âme de Galérius, avaient rendu plus cuisante la plaie hideuse de son corps[4]; mais renfermant ses douleurs dans son sein, soit qu'il cherchât à se tromper lui-même, soit qu'il voulût tromper les hommes, ce spectre vint s'asseoir au balcon impérial, comme la Mort couronnée. Quel contraste avec la beauté, la vie, la jeunesse exposées dans l'arène à la fureur des léopards !

Lorsque l'Empereur parut, les spectateurs se levèrent et lui donnèrent le salut accoutumé. Eudore s'incline respectueusement devant César. Cymodocée s'avance sous le balcon pour demander à l'Empereur la grâce d'Eudore, et s'offrir elle-même en sacrifice. La foule tira Galérius de l'embarras de se montrer miséricordieux ou cruel : depuis longtemps elle attend le combat; la soif du sang avait redoublé à la vue des victimes. On crie de toutes parts :

" Les bêtes ! Qu'on lâche les bêtes ! Les impies aux bêtes ! "

Eudore veut parler au peuple en faveur de Cymodocée; mille voix étouffent sa voix :

1. *Galérius* : Galère, empereur de 292 à 311. Il arracha à Dioclétien, en 304, un édit de persécution contre les chrétiens. — 2. Constance Chlore mourut à York (Angleterre) en 306. — 3. Fils de Constance Chlore; il fut proclamé empereur par les troupes de Grande-Bretagne, de Gaule et d'Espagne, et régna de 306 à 337. — 4. Il était atteint d'une sorte de lèpre.

" Qu'on donne le signal ! Les bêtes ! Les chrétiens aux bêtes ! "

Le son de la trompette se fait entendre : c'est l'annonce de l'apparition des bêtes féroces. Le chef des rétiaires[1] traverse l'arène et vient ouvrir la loge d'un tigre connu par sa férocité.

Alors s'élève entre Eudore et Cymodocée une contestation à jamais mémorable : chacun des deux époux voulait mourir le dernier.

— Eudore, disait Cymodocée, si vous n'étiez pas blessé[2], je vous demanderais à combattre la première; mais à présent, j'ai plus de force que vous, et je puis vous voir mourir.

— Cymodocée, répondit Eudore, il y a plus longtemps que vous que je suis chrétien : je pourrai mieux supporter la douleur, laissez-moi quitter la terre le dernier.

. . . .

La trompette sonne pour la seconde fois.

On entend gémir la porte de fer de la caverne du tigre : le gladiateur qui l'avait ouverte s'enfuit effrayé. Eudore place Cymodocée derrière lui. On le voyait debout, uniquement attentif à la prière, les bras étendus en forme de croix, et les yeux levés vers le ciel.

La trompette sonne pour la troisième fois.

Les chaînes du tigre tombent, et l'animal furieux s'élance en rugissant dans l'arène : un mouvement involontaire fait tressaillir les spectateurs. Cymodocée, saisie d'effroi, s'écrie :

" Ah ! sauvez-moi ! "

Et elle se jette dans les bras d'Eudore, qui se retourne vers elle. Il la serre contre sa poitrine, il aurait voulu la cacher dans son cœur. Le tigre arrive aux deux martyrs. Il se lève debout, et, enfonçant ses ongles dans les flancs du fils de Lasthénès, il déchire avec ses dents les épaules du confesseur[3] intrépide. Comme Cymodocée, toujours pressée dans le sein de son époux, ouvrait sur lui des yeux pleins d'amour et de frayeur, elle aperçoit la tête sanglante du tigre auprès de la tête d'Eudore. A l'instant la chaleur abandonne les membres de la vierge victorieuse; ses paupières se ferment; elle demeure suspendue aux bras de son époux, ainsi qu'un flocon de neige aux rameaux d'un pin du Ménale ou du Lycée[4]. Les saintes martyres, Eulalie, Félicité, Perpétue[5], descendent pour chercher leur compagne : le tigre avait rompu le

1. *Rétiaires*: gladiateurs armés d'un filet. — 2. Eudore avait subi la torture (chevalet, ongles de fer, tenailles, chaise de fer rougie au feu). — 3. *Confesseur* : nom donné aux premiers chrétiens qui, sans craindre les supplices, confessaient, avouaient leur foi en Jésus-Christ. — 4. *Ménale, Lycée* : montagnes d'Arcadie, patrie de Cymodocée. — 5. *Eulalie* : vierge martyre, brûlée vive à douze ans ; *Félicité* : noble romaine, qui souffrit le martyre avec ses 7 enfants; *Perpétue*, de Carthage, martyre vers 203.

cou d'ivoire de la fille d'Homère [1]. L'ange de la mort coupe en souriant le fil des jours de Cymodocée. Elle exhale son dernier soupir sans effort et sans douleur; elle rend au ciel un souffle divin, qui semblait tenir à peine à ce corps formé par les Grâces; elle tombe comme une fleur que la faux du villageois vient d'abattre sur le gazon. Eudore la suit un moment après dans les éternelles demeures : on eût cru voir un de ces sacrifices de paix, où les enfants d'Aaron[2] offraient au Dieu d'Israël une colombe et un jeune taureau.

Les époux martyrs avaient à peine reçu la palme, que l'on aperçut au milieu des airs une croix de lumière, semblable à ce Labarum[3] qui fit triompher Constantin; la foudre gronda sur le Vatican, colline alors déserte, mais souvent visitée par un esprit inconnu; l'amphithéâtre fut ébranlé jusque dans ses fondements; toutes les statues des idoles tombèrent, et l'on entendit, comme autrefois à Jérusalem, une voix qui disait :

“ Les dieux s'en vont. ”

(Livre XXIV.)

1. *La fille d'Homère* : cf. p. 38, n. 5. — 2. *Aaron* : frère de Moïse et premier grand-prêtre des Juifs. — 3. *Labarum* : étendard impérial institué par Constantin; c'était un drapeau de pourpre carré, portant le monogramme du Christ. Constantin marchait contre Maxence, en 312, lorsqu'une croix lumineuse lui apparut dans le ciel avec ces mots : *In hoc signo vinces*, « Tu vaincras par ce signe. » La nuit suivante il vit en songe le Christ portant un étendard orné d'un signe semblable. Il en fit alors un sur ce modèle et l'appela *Labarum*, nom dont on ignore l'origine.

ITINÉRAIRE
DE
PARIS A JÉRUSALEM

1811

L'*Itinéraire de Paris à Jérusalem* est le journal du voyage de Chateaubriand aux divers lieux où il voulait placer les scènes de ses *Martyrs* (13 juillet 1806-3 mai 1807). La sûreté et la variété des descriptions, l'évocation puissante de l'antiquité grecque, la sensation colorée de l'Orient, le mélange de réalité objective et de poésie personnelle, tout donne à cet ouvrage un intérêt singulier. Il fut accueilli avec une grande faveur, mit la Grèce et l'Orient à la mode, éveilla en Europe un sentiment de sympathie pour la Grèce esclave et fut ainsi la première manifestation du mouvement philhellénique.

LES RUINES DE SPARTE

Il y avait déjà une heure que nous courions par un chemin uni qui se dirigeait droit au Sud-Est, lorsqu'au lever de l'aurore j'aperçus quelques débris et un long mur de construction antique; le cœur commence à me battre. Le janissaire[1] se tourne vers moi; et me montrant sur la droite, avec son fouet, une cabane blanchâtre, il me crie d'un air de satisfaction : " Palæochôri[2] ! " Je me dirigeai vers la principale ruine que je découvrais sur une hauteur. En tournant cette hauteur par le Nord-Ouest afin d'y monter, je m'arrêtai tout à coup à la vue d'une vaste enceinte, ouverte en demi-cercle, et que je reconnus pour un théâtre. Je ne puis peindre les sentiments confus qui vinrent m'assiéger. La colline au pied de laquelle je me trouvais était donc une colline de la citadelle de Sparte, puisque le théâtre était adossé à la citadelle; la ruine que je voyais sur cette colline était donc le temple de Minerve-Chalciœcos[3], puisque celui-ci était dans la citadelle; les débris et le

1. *Janissaire* : soldat de l'infanterie turque, autrefois garde du sultan; ici : soldat turc qui guidait l'escorte de Chateaubriand. — 2. *Palæochôri* : « la vieille ville ». — 3. *Chalciœcos* : « au sanctuaire d'airain ». Minerve, ou Pallas Athénè, avait à Sparte un temple et une statue d'airain.

long mur que j'avais passés plus bas faisaient donc partie de la tribu des Cynosures[1], puisque cette tribu était au Nord de la ville : Sparte était donc sous mes yeux; et son théâtre, que j'avais eu le bonheur de découvrir en arrivant, me donnait sur-le-champ les positions des quartiers et des monuments. Je mis pied à terre, et je montai en courant sur la colline de la citadelle.

Comme j'arrivais à son sommet, le soleil se levait derrière les monts Ménélaïons. Quel beau spectacle ! mais qu'il était triste ! L'Eurotas[2] coulant solitaire sous les débris du pont Babyx; des ruines de toutes parts, et pas un homme parmi ces ruines ! Je restai immobile, dans une espèce de stupeur, à contempler cette scène. Un mélange d'admiration et de douleur arrêtait mes pas et ma pensée; le silence était profond autour de moi : je voulus du moins faire parler l'écho dans des lieux où la voix humaine ne se faisait plus entendre, et je criai de toute ma force : Léonidas[3] ! Aucune ruine ne répéta ce grand nom, et Sparte même sembla l'avoir oublié.

Si des ruines où s'attachent des souverains illustres font bien voir la vanité[4] de tout ici-bas, il faut pourtant convenir que des noms qui survivent à des empires et qui immortalisent des temps et des lieux sont quelque chose. Après tout, ne dédaignons pas trop la gloire : rien n'est plus beau qu'elle, si ce n'est la vertu. Le comble du bonheur serait de réunir l'une à l'autre dans cette vie; et c'était l'objet de l'unique prière que les Spartiates adressaient aux dieux : " *Ut pulchra bonis adderent*[5] ! "

ATHÈNES

Enfin, le grand jour de notre entrée à Athènes se leva. Le 23 (août 1806), à trois heures du matin, nous étions tous à cheval; nous commençâmes à défiler en silence par la voie Sacrée[6] : je puis assurer que l'initié le plus dévot à Cérès n'a jamais éprouvé un transport aussi vif que le mien. Nous avions mis nos beaux habits pour la fête; le janissaire[7] avait retourné son turban, et, par extraordinaire, on avait frotté et pansé les chevaux....

La première chose qui frappa mes yeux, ce fut la citadelle éclairée du soleil levant : elle était juste en face de moi, de l'autre côté de la plaine, et semblait appuyée sur le mont Hymette,

1. *Cynosures* : (queues de chien) : un des quatre quartiers de Sparte. — 2. *L'Eurotas* : le fleuve qui arrosait Sparte. — 3. *Léonidas* : roi de Sparte de 490 à 480 av. J.-C., le héros des Thermopyles. — 4. *Vanité* : inconsistance, néant. — 5. « De joindre le beau au bien. » — 6. Route que suivaient les processions en l'honneur de Cérès. — 7. *Le janissaire* : cf. p. 57, n. 1.

L'ACROPOLE D'ATHÈNES.

Photo communiquée par la Cie de Navigation Nationale de Grèce (Neptos).

qui faisait le fond du tableau. Elle présentait, dans un assemblage confus, les chapiteaux des Propylées[1], les colonnes du Parthénon[2] et du temple d'Érechthée[3], les embrasures d'une muraille chargée de canons, les débris gothiques des chrétiens, et les masures des musulmans.

Deux petites collines, l'Anchesme et le Musée, s'élevaient au Nord et au Midi de l'Acropolis. Entre ces deux collines et au pied de l'Acropolis, Athènes se montrait à moi : ses toits aplatis, entremêlés de minarets, de cyprès, de ruines, de colonnes isolées; les dômes de ses mosquées couronnés par de gros nids de cigognes, faisaient un effet agréable aux rayons du soleil. Mais si l'on reconnaissait encore Athènes à ses débris, on voyait aussi, à l'ensemble de son architecture et au caractère général des monuments, que la ville de Minerve n'était plus habitée par son peuple[4].

Une enceinte de montagnes, qui se termine à la mer, forme la plaine ou le bassin d'Athènes. Du point où je voyais cette plaine au mont Pœcile[5], elle paraissait divisée en trois bandes ou régions, courant dans une direction parallèle du Nord au Midi. La première de ces régions, et la plus voisine de moi, était inculte et couverte de bruyères; la seconde offrait un terrain labouré, où l'on venait de faire la moisson; la troisième présentait un long bois d'oliviers qui s'étendait un peu circulairement depuis les sources de l'Ilissus[6] en passant au pied de l'Anchesme[7] jusque vers le port de Phalère. Le Céphise[8] coule dans cette forêt, qui, par sa vieillesse, semble descendre de l'olivier que Minerve fit sortir de la terre[9]. L'Ilissus a son lit desséché de l'autre côté d'Athènes[10], entre le mont Hymette et la ville. La plaine n'est pas parfaitement unie : une petite chaîne de collines détachées du mont Hymette en surmonte le niveau et forme les différentes hauteurs sur lesquelles Athènes plaça peu à peu ses monuments.

Ce n'est pas dans le premier moment d'une émotion très vive

1. *Les Propylées* : portique formant comme le vestibule de l'Acropole ou citadelle d'Athènes; admirable édifice en marbre, œuvre de Mnésiclès (milieu du Ve s. av. J.-C.). — 2. *Le Parthénon* : célèbre temple bâti sur l'Acropole au Ve s. av. J.-C. en l'honneur de la « déesse-vierge » Athèna-Parthénos. — 3. *Le temple d'Erechthée* ou *Erechthéion* : temple de l'Acropole dédié au dieu de la mer, Poseïdon Érechthée, « qui ébranle la terre ». — 4. *Son peuple* : le peuple de Minerve (Minerve est le nom latin de la déesse Athèna, d'où le nom d'Athènes). La ville appartenait alors aux Turcs. — 5. *Le mont Pœcile* : colline au Nord-Ouest d'Athènes, séparant la plaine d'Athènes de la plaine d'Éleusis. — 6. *Ilissus* : fleuve qui prend sa source au mont Hymette, longe Athènes au Sud-Est et se jette dans le golfe Saronique près du port de Phalère. — 7. *L'Anchesme* ou *Anchesmos* : colline au Nord-Est d'Athènes. — 8. *Le Céphise* : fleuve qui coule au Nord-Ouest d'Athènes et se jette dans le golfe Saronique entre Phalère et le Pirée. — 9. C'est Minerve qui aurait fait sortir l'olivier du sol de l'Attique. — 10. Au Sud-Est.

que l'on jouit le plus de ses sentiments. Je m'avançais vers Athènes avec une espèce de plaisir qui m'ôtait le pouvoir de la réflexion; non que j'éprouvasse quelque chose de semblable à ce que j'avais senti à la vue de Lacédémone. Sparte et Athènes ont conservé jusque dans leurs ruines leurs différents caractères : celles de la première sont tristes, graves et solitaires; celles de la seconde sont riantes, légères, habitées. A l'aspect de la patrie de Lycurgue[1], toutes les pensées deviennent sérieuses, mâles et profondes; l'âme fortifiée semble s'élever et s'agrandir; devant la ville de Solon[2], on est comme enchanté par les prestiges du génie; on a l'idée de la perfection de l'homme, considéré comme un être intelligent et immortel. Les hauts sentiments de la nature humaine prenaient à Athènes quelque chose d'élégant qu'ils n'avaient point à Sparte. L'amour de la patrie et de la liberté n'était point pour les Athéniens un instinct aveugle, mais un sentiment éclairé, fondé sur ce goût du beau dans tous les genres, que le ciel leur avait si libéralement départi : enfin, en passant des ruines de Lacédémone aux ruines d'Athènes, je sentis que j'aurais voulu mourir avec Léonidas[3], et vivre avec Périclès[4].

MÉDITATION SUR L'ACROPOLE

Il faut maintenant se figurer tout cet espace tantôt nu et couvert d'une bruyère jaune, tantôt coupé par des bouquets d'oliviers, par des carrés d'orge, par des sillons de vignes; il faut se représenter des fûts de colonne et des bouts de ruines anciennes et modernes sortant du milieu de ces cultures; des murs blanchis et des clôtures de jardins traversant les champs : il faut répandre dans la campagne des Albanaises qui tirent de l'eau ou qui lavent à des puits les robes des Turcs; des paysans qui vont et viennent, conduisant des ânes ou portant sur leur dos des provisions à la ville; il faut supposer toutes ces montagnes dont les noms sont si beaux, toutes ces ruines si célèbres, toutes ces îles, toutes ces mers non moins fameuses éclairées d'une lumière éclatante. J'ai vu, du haut de l'Acropolis, le soleil se lever entre les deux cimes du mont Hymette[5]; les corneilles qui nichent autour de la citadelle, mais qui ne franchissent jamais son sommet, planaient au-dessus de nous; leurs ailes noires et lustrées étaient glacées de rose par les premiers reflets du jour; des colonnes de fumée bleue

1. *Lycurgue* : législateur des Spartiates (IXe s. av. J.-C.). — 2. *Solon* : législateur d'Athènes, un des sept sages de la Grèce (VIIe-VIe s. av. J.-C.). — 3. *Léonidas* : cf. p. 58, n. 3. — 4. *Périclès* : un des plus grands hommes d'état athéniens (499-429 av. J.-C.), donna son nom au siècle le plus brillant de la Grèce. — 5. *Hymette* : montagne de l'Attique, au Sud d'Athènes, renommée pour son miel et ses carrières de marbre.

et légère montaient dans l'ombre le long des flancs de l'Hymette et annonçaient les parcs ou les chalets des abeilles; Athènes, l'Acropolis et les débris du Parthénon[1] se coloraient de la plus belle teinte de la fleur du pêcher; les sculptures de Phidias[2], frappées horizontalement d'un rayon d'or, s'animaient et semblaient se mouvoir sur le marbre par la mobilité des ombres du relief; au loin, la mer et le Pirée[3] étaient tout blancs de lumière; et la citadelle de Corinthe, renvoyant l'éclat du jour nouveau, brillait sur l'horizon du couchant comme un rocher de pourpre et de feu.

Du lieu où nous étions placés, nous aurions pu voir, dans les beaux jours d'Athènes, les flottes sortir du Pirée pour combattre l'ennemi ou pour se rendre aux fêtes de Délos[4]; nous aurions pu entendre éclater au théâtre de Bacchus[5] les douleurs d'Œdipe[6], de Philoctète[7] et d'Hécube[8]; nous aurions pu ouïr les applaudissements des citoyens aux discours de Démosthène. Mais, hélas ! aucun son ne frappait notre oreille. A peine quelques cris échappés à une populace esclave sortaient par intervalles de ces murs qui retentirent si longtemps de la voix d'un peuple libre. Je me disais, pour me consoler, ce qu'il faut se dire sans cesse : Tout passe, tout finit dans ce monde. Où sont allés les génies divins qui élevèrent le temple sur les débris duquel j'étais assis ? Ce soleil, qui peut-être éclairait les derniers soupirs de la pauvre fille de Mégare[9], avait vu mourir la brillante Aspasie[10]. Ce tableau de l'Attique, ce spectacle que je contemplais, avait été contemplé par des yeux fermés depuis deux mille ans. Je passerai à mon tour : d'autres hommes aussi fugitifs[11] que moi viendront faire les mêmes réflexions sur les mêmes ruines. Notre vie et notre cœur sont entre les mains de Dieu : laissons-le donc disposer de l'une comme de l'autre.

JÉRUSALEM EN 1806

Les maisons de Jérusalem sont de lourdes masses carrées, fort basses, sans cheminées et sans fenêtres; elles se terminent en

1. *Parthénon* : cf. p. 61, n. 2. — 2. *Phidias* : grand sculpteur grec du 5e s. av. J.-C., qui avait orné le Parthénon d'admirables bas-reliefs représentant la procession des Panathénées. — 3. *Le Pirée* : principal port d'Athènes. — 4. *Délos* : une des Cyclades, où se trouvait un grand temple d'Apollon. Tous les quatre ans, les Athéniens y envoyaient un pèlerinage. — 5. Le théâtre d'Athènes était consacré à Bacchus, ou Dionysos, dieu de la tragédie. — 6. *Œdipe* : héros de deux tragédies de Sophocle : *Œdipe Roi* et *Œdipe à Colone*. — 7. *Philoctète* : illustre guerrier grec de la guerre de Troie, héros d'une tragédie d'Euripide. — 8. *Hécube*, femme du roi de Troie Priam, héroïne d'une tragédie d'Euripide. — 9. Jeune fille atteinte d'une fièvre putride et qu'il avait soignée avec quelques médicaments qu'il portait avec lui. — 10. *Aspasie* : Grecque célèbre pour sa beauté et son esprit (ve s. av. J.-C.). — 11. *Fugitifs* : dont la vie est brève.

terrasses aplaties ou en dômes, et elles ressemblent à des prisons ou à des sépulcres. Tout serait à l'œil d'un niveau égal, si les clochers des églises, les minarets des mosquées, les cimes de quelques cyprès, et les buissons de nopals[1], ne rompaient l'uniformité du plan. A la vue de ces maisons de pierre, renfermées dans un paysage de pierres, on se demande si ce ne sont pas là les monuments confus d'un cimetière au milieu d'un désert.

Entrez dans la ville, rien ne vous consolera de la tristesse extérieure : vous vous égarez dans de petites rues non pavées, qui montent et descendent sur un sol inégal, et vous marchez dans des flots de poussière, ou parmi des cailloux roulants. Des toiles[2] jetées d'une maison à l'autre augmentent l'obscurité de ce labyrinthe; des bazars voûtés et infects achèvent d'ôter la lumière à la ville désolée; quelques chétives boutiques n'étalent aux yeux que la misère; et souvent ces boutiques mêmes sont fermées, dans la crainte du passage d'un cadi[3]. Personne dans les rues, personne aux portes de la ville; quelquefois seulement un paysan se glisse dans l'ombre, cachant sous ses habits les fruits de son labeur, dans la crainte d'être dépouillé par le soldat; dans un coin à l'écart, le boucher arabe égorge quelque bête suspendue par les pieds à un mur en ruine : à l'air hagard et féroce de cet homme, à ses bras ensanglantés, vous croiriez qu'il vient plutôt de tuer son semblable que d'immoler un agneau. Pour tout bruit, dans la cité déicide, on entend par intervalles le galop de la cavale du désert : c'est le janissaire[4] qui apporte la tête du Bédouin[5], ou qui va piller le fellah[6].

1. *Nopals* : plantes grasses à tiges charnues hérissées d'épines; sorte de cactus. — 2. Ces *toiles* servent à se protéger des rayons du soleil. — 3. *Cadi* : juge musulman. — 4. *Janissaire* : cf. p. 57, n. 1. — 5. *Bédouin* : Arabe du désert. — 6. *Fellah* : paysan égyptien ou arabe.

LES AVENTURES
DU
DERNIER ABENCÉRAGE

1826

Ce petit roman ou poème en prose, écrit en 1807 et publié en 1826, est le couronnement de l'*Itinéraire* : Chateaubriand était revenu de Jérusalem par Grenade et l'Espagne, et comme l'Espagne n'apparaît pas dans *les Martyrs*, il a imaginé un roman d'après ses impressions de voyage.

L'action se passe au début du XVIe siècle, vingt ans après que les Maures ont été chassés d'Espagne. La tribu exilée des Abencérages s'est fixée à Tunis. Aben-Hamet, dernier descendant de cette famille, retourne à Grenade, dans l'intention de venger les outrages infligés jadis aux siens par les Bivar, descendants du Cid. A Grenade, il rencontre une jeune fille, Blanca, et tous deux s'aiment. Don Carlos, frère de Blanca, qui est fiancée au Français Lautrec, surprend le secret de sa sœur. Blessé dans son patriotisme et rendant l'Abencérage responsable de la déloyauté de sa sœur, il le provoque en duel. Aben-Hamet est vainqueur, mais laisse la vie à son adversaire. Lautrec, touché de cette générosité, se réconcilie avec le Maure. Tous trois, accompagnés de la jeune fille, se rendent dans une fête de nuit à l'Alhambra. Là, pour la première fois, Aben-Hamet fait connaître le but de son voyage : venger son grand-père. Or celui-ci a été tué par le grand-père même de Carlos et de Blanca. Dans cette terrible situation, tous se montrent héroïques : le Maure renonce à sa vengeance, mais aussi à Blanca, qu'il abandonne à Lautrec; Blanca refuse un pareil sacrifice; Don Carlos s'offre pour le duel que l'Abencérage est venu chercher : si Aben-Hamet est vainqueur, il épousera Blanca; mais celle-ci n'y peut consentir : elle renonce à Lautrec et à Aben-Hamet et vivra toujours seule.

FÊTE DE NUIT A L'ALHAMBRA

... Lautrec prit une guitare, et chanta cette romance qu'il avait composée sur un air des montagnes de son pays[1]

Combien j'ai douce souvenance
Du joli lieu de ma naissance!
Ma sœur, qu'ils étaient beaux, les jours
De France!
O mon pays, sois mes amours
Toujours!

Te souvient-il que notre mère,
Au foyer de notre chaumière,
Nous pressait sur son cœur joyeux,
Ma chère;
Et nous baisions ses blancs cheveux
Tous deux.

Ma sœur, te souvient-il encore
Du château que baignait la Dore[2]!
Et de cette tant vieille tour
Du Maure[3],
Où l'airain sonnait le retour
Du jour?

Te souvient-il du lac tranquille[4]
Qu'effleurait l'hirondelle agile,
Du vent qui courbait le roseau
Mobile,
Et du soleil couchant sur l'eau,
Si beau?

Oh! qui me rendra mon Hélène,
Et ma montagne et le grand chêne?
Leur souvenir fait tous les jours
Ma peine :
Mon pays sera mes amours
Toujours!

Lautrec, en achevant le dernier couplet, essuya avec son gant une larme que lui arrachait le souvenir du gentil pays de France. Les regrets du beau prisonnier furent vivement sentis par Aben-Hamet, qui déplorait comme Lautrec la perte de sa patrie[5]. Sollicité de prendre à son tour la guitare, il s'en excusa, en disant qu'il ne savait qu'une romance, et qu'elle serait peu agréable à des chrétiens.

1. Chateaubriand avait composé cette romance antérieurement, sur un air qu'il avait entendu dans les montagnes d'Auvergne. — 2. *La Dore* : rivière qui prend sa source dans le Forez et se jette dans l'Allier. — 3. *La tour du Maure* : la plus grosse des quatre tours crénelées du château de Combourg. Elle avait été construite en 1016 par l'évêque de Dol. — 4. Le lac qui se trouve au pied du château de Combourg. — 5. Lautrec, fait prisonnier à Pavie, partageait la captivité de François Ier en Espagne; il avait été remis, sur sa parole, à don Carlos, qui était devenu son ami.

“ Si ce sont des Infidèles qui gémissent de nos victoires, repartit dédaigneusement don Carlos, vous pouvez chanter : les larmes sont permises aux vaincus.

— Oui, dit Blanca, et c'est pour cela que nos pères, soumis autrefois au joug des Maures, nous ont laissé tant de complaintes. ”

Aben-Hamet chanta donc cette ballade, qu'il avait apprise d'un poète de la tribu des Abencérages.

Le roi don Juan
Un jour chevauchant,
Vit sur la montagne
Grenade d'Espagne;
Il lui dit soudain :
Cité mignonne,
Mon cœur te donne[1]
Avec ma main.

Je t'épouserai,
Puis apporterai
En dons à ta ville
Cordoue et Séville.
Superbes atours
Et perle fine
Je te destine
Pour nos amours.

Grenade répond :
Grand roi de Léon[2],
Au Maure liée,
Je suis mariée,
Garde tes présents:
J'ai pour parure
Riche ceinture
Et beaux enfants.

Ainsi tu disais;
Ainsi tu mentais;
O mortelle injure!
Grenade est parjure!
Un chrétien maudit,
D'Abencérage
Tient l'héritage :
C'était écrit!

Jamais le chameau
N'apporte au tombeau,
Près de la piscine,
L'Haggi[3] de Médine[4].
Un chrétien maudit,
D'Abencérage
Tient l'héritage :
C'était écrit!

1. *Mon cœur te donne :* je te donne mon cœur. — 2. *Léon* : ancien royaume du Nord-Ouest de l'Espagne. — 3. *Haggi* : musulman ayant fait le pèlerinage de la Mecque. — 4. *Médine* : ville d'Arabie, seconde ville sainte des musulmans.

O bel Alhambra!
O palais d'Allah!
Cité des fontaines!
Fleuve aux vertes plaines,
Un chrétien maudit
D'Abencérage
Tient l'héritage :
C'était écrit!

La naïveté de ces plaintes avait touché jusqu'au superbe[1] don Carlos, malgré les imprécations prononcées contre les chrétiens. Il aurait bien désiré qu'on le dispensât de chanter lui-même, mais par courtoisie pour Lautrec il crut devoir céder à ses prières. Aben-Hamet donna la guitare au frère de Blanca qui célébra les exploits du Cid son illustre aïeul :

Prêt à partir pour la rive africaine,
Le Cid armé, tout brillant de valeur,
Sur sa guitare, aux pieds de sa Chimène,
Chantait ces vers que lui dictait l'honneur :

Chimène a dit : Va combattre le Maure;
De ce combat surtout reviens vainqueur.
Oui, je croirai que Rodrigue m'adore
S'il fait céder son amour à l'honneur.

Donnez, donnez et mon casque et ma lance!
Je vais montrer que Rodrigue a du cœur :
Dans les combats signalant sa vaillance,
Son cri sera pour sa dame et l'honneur.

Maure vanté pour ta galanterie,
De tes accents mon noble chant vainqueur
D'Espagne un jour deviendra la folie[2],
Car il peindra l'amour avec l'honneur.

Dans le vallon de notre Andalousie,
Les vieux chrétiens conteront ma valeur :
Il préféra, diront-ils, à la vie
Son Dieu, son roi, sa Chimène et l'honneur.

Don Carlos avait paru si fier en chantant ces paroles d'une voix mâle et sonore, qu'on l'aurait pris pour le Cid lui-même. Lautrec partageait l'enthousiasme guerrier de son ami; mais l'Abencérage avait pâli, au nom du Cid.

« Ce chevalier, dit-il, que les chrétiens appellent la Fleur des Batailles, porte parmi nous le nom de cruel. Si sa générosité[3] avait égalé sa valeur....

— Sa générosité, repartit vivement don Carlos interrompant Aben-Hamet, surpassait encore son courage, et il n'y a que des

1. *Superbe* : fier, orgueilleux. — 2. Chateaubriand indique dans une note qu'il a composé cette romance du Cid sur l'air alors célèbre des *Folies d'Espagne* et qu'il a essayé de l'accorder au caractère grave, religieux et chevaleresque de cet air. — 3. *Générosité* : noblesse de sentiments.

Maures qui puissent calomnier le héros à qui ma famille doit le jour.

— Que dis-tu ? s'écria Aben-Hamet, s'élançant du siège où il était à demi couché : tu comptes le Cid parmi tes aïeux ?

— Son sang coule dans mes veines, répliqua don Carlos, et je me reconnais de ce noble sang à la haine qui brûle dans mon cœur contre les ennemis de mon Dieu."

MÉMOIRES D'OUTRE-TOMBE

1848

Écrits de 1811 environ à 1846, les *Mémoires* de Chateaubriand ne devaient être publiés qu'après sa mort, d'où leur nom de *Mémoire d'outre-tombe*. Mais l'écrivain pressé d'argent fut obligé de les vendre prématurément. Ils parurent en feuilleton dans *la Presse* de février 1848 à juillet 1850.

Ils comprennent quatre parties : 1° 1768-1800 (9 livres) : enfance et jeunesse à Combourg et en Bretagne; débuts de la Révolution; voyage en Amérique; l'armée des Princes; exil à Londres; — 2° 1800-1814 (5 livres) : carrière littéraire; — 3° 1814-1830 (15 livres) : carrière politique; — 4° 1830-1846 (10 livres) : voyages à travers l'Allemagne et la Bohême pour la cause de la duchesse de Berry.

Les extraits qui suivent sont empruntés à la première partie.

LUCILE

Lucile, la quatrième de mes sœurs, avait deux ans plus que moi[1]. Cadette délaissée, sa parure ne se composait que de la dépouille de ses sœurs. Qu'on se figure une petite fille maigre, trop grande pour son âge, bras dégingandés, air timide, parlant avec difficulté et ne pouvant rien apprendre; qu'on lui mette une robe empruntée à une autre taille que la sienne; renfermez sa poitrine dans un corps[2] piqué dont les pointes lui faisaient des plaies aux côtés; soutenez son cou par un collier de fer garni de velours brun[3]; retroussez ses cheveux sur le haut de sa tête; rattachez-les avec une toque d'étoffe noire; et vous verrez la misérable créature qui me frappa en rentrant sous le toit paternel[4]. Personne n'aurait soupçonné dans la chétive Lucile les talents et la beauté qui devaient un jour briller en elle.

1. En réalité, quatre ans; elle était née le 7 août 1764. — 2. *Corps* : corset. — 3. Collier qu'on mettait aux jeunes filles pour les obliger à tenir la tête droite. — 4. Jusqu'à l'âge de trois ans, Chateaubriand avait été élevé chez sa grand-mère maternelle à Plancoët, bourg situé entre Dinan et Lamballe.

Elle me fut livrée comme un jouet; je n'abusai point de mon pouvoir : au lieu de la soumettre à mes volontés, je devins son défenseur. On me conduisait tous les matins avec elle chez les sœurs Couppart, deux vieilles bossues habillées de noir, qui montraient à lire aux enfants. Lucile lisait fort mal; je lisais encore plus mal. On la grondait; je griffais les sœurs : grandes plaintes portées à ma mère. Je commençais à passer pour un vaurien, un révolté, un paresseux, un âne enfin. Ces idées entraient dans la tête de mes parents; mon père disait que tous les chevaliers de Chateaubriand avaient été des fouetteurs de lièvres, des ivrognes et des querelleurs. Ma mère soupirait et grognait en voyant le désordre de ma jaquette. Tout enfant que j'étais, le propos de mon père me révoltait; quand ma mère couronnait ses remontrances par l'éloge de mon frère qu'elle appelait un Caton[1], un héros, je me sentais disposé à faire tout le mal qu'on semblait attendre de moi.

(Livre I.)

LA GRAND-MÈRE DE CHATEAUBRIAND

Ma grand-mère occupait, dans la rue du Hameau-de-l'Abbaye[2], une maison dont les jardins descendaient en terrasse sur un vallon au fond duquel on trouvait une fontaine entourée de saules. Mme de Bedée ne marchait plus; mais, à cela près, elle n'avait aucun des inconvénients de son âge : c'était une agréable vieille, grasse, blanche, propre, l'air grand, les manières belles et nobles, portant des robes à plis à l'antique et une coiffe noire de dentelle, nouée sous le menton. Elle avait l'esprit orné, la conversation grave, l'humeur sérieuse. Elle était soignée par sa sœur, Mlle de Boisteilleul, qui ne lui ressemblait que par la bonté. Celle-ci était une petite personne maigre, enjouée, causeuse, railleuse. Elle avait aimé un comte de Trémigon, lequel comte, ayant dû l'épouser, avait ensuite violé sa promesse. Ma tante s'était consolée en célébrant ses amours, car elle était poète. Je me souviens de l'avoir souvent entendue chantonner en nasillant, lunettes sur le nez, tandis qu'elle brodait pour sa sœur des manchettes à deux rangs, un apologue qui commençait ainsi :

> Un épervier aimait une fauvette
> Et, ce dit-on, il en était aimé :

1. *Caton* : Romain célèbre par sa vertu. — 2. A Plancoët.

ce qui m'a paru toujours singulier pour un épervier. La chanson finissait par ce refrain :

Ah! Trémigon, la fable est-elle obscure?
Ture lure.

Que de choses dans le monde finissent comme les amours de ma tante, ture lure !

Ma grand-mère se reposait sur sa sœur des soins de la maison. Elle dînait à onze heures du matin, faisait la sieste; à une heure elle se réveillait; on la portait au bas des terrasses du jardin, sous les saules de la fontaine, où elle tricotait, entourée de sa sœur, de ses enfants et petits-enfants. En ce temps-là, la vieillesse était une dignité; aujourd'hui elle est une charge. A quatre heures, on reportait ma grand-mère dans son salon : Pierre, le domestique, mettait une table de jeu; Mlle de Boisteilleul frappait avec les pincettes contre la plaque de la cheminée, et quelques instants après on voyait entrer trois autres vieilles filles qui sortaient de la maison voisine à l'appel de ma tante. Ces trois sœurs se nommaient les demoiselles Vildéneux; filles d'un pauvre gentilhomme, au lieu de partager son mince héritage, elles en avaient joui en commun, ne s'étaient jamais quittées, n'étaient jamais sorties de leur village paternel. Liées depuis leur enfance avec ma grand-mère, elles logeaient à sa porte et venaient tous les jours, au signal convenu dans la cheminée, faire la partie de quadrille[1] de leur amie. Le jeu commençait; les bonnes dames se querellaient : c'était le seul événement de leur vie, le seul moment où l'égalité de leur humeur fût altérée. A huit heures, le souper ramenait la sérénité. Souvent mon oncle de Bedée, avec son fils et ses trois filles assistait au souper de l'aïeule. Celle-ci faisait mille récits du vieux temps; mon oncle, à son tour, racontait la bataille de Fontenoy, où il s'était trouvé, et couronnait ses vanteries par des histoires un peu franches qui faisaient pâmer de rire les honnêtes demoiselles. A neuf heures, le souper fini, les domestiques entraient; on se mettait à genoux, et Mlle de Boisteilleul disait à haute voix la prière. A dix heures, tout dormait dans la maison, excepté ma grand-mère, qui se faisait faire la lecture par sa femme de chambre jusqu'à une heure du matin. (Livre I.)

L'ÉDUCATION A SAINT-MALO

C'est sur la grève de la pleine mer, entre le Château et le Fort-Royal, que se rassemblent les enfants; c'est là que j'ai été élevé,

1. *Quadrille* : jeu de cartes qui se jouait à quatre.

Photo Hachette.

SAINT-MALO AU XVIIIe SIÈCLE.
d'après Ozanne (B. N. Estampes.

compagnon des flots et des vents. Un des premiers plaisirs que j'aie goûtés était de lutter contre les orages, de me jouer avec les vagues qui se retiraient devant moi, ou couraient après moi sur la rive. Un autre divertissement était de construire, avec l'arène[1] de la plage, des monuments que mes camarades appelaient des *fours*. Depuis cette époque, j'ai souvent vu bâtir pour l'éternité des châteaux plus vite écroulés que mes palais de sable.

Mon sort étant irrévocablement fixé, on me livra à une enfance oisive. Quelques notions de dessin, de langue anglaise, d'hydrographie et de mathématiques parurent plus que suffisantes à l'éducation d'un garçon destiné à la rude vie d'un marin.

Je croissais sans étude[2] dans ma famille; nous n'habitions plus la maison où j'étais né : ma mère occupait un hôtel, place Saint-Vincent, presque en face de la porte qui communique au Sillon[3]. Les polissons de la ville étaient devenus mes plus chers amis : j'en remplissais la cour et les escaliers de la maison. Je leur ressemblais en tout; je parlais leur langage; j'avais leur façon et leur allure; j'étais vêtu comme eux; déboutonné et débraillé comme eux : mes chemises tombaient en loques; je n'avais jamais une paire de bas qui ne fût largement trouée; je traînais de méchants souliers éculés, qui sortaient à chaque pas de mes pieds; je perdais souvent mon chapeau et quelquefois mon habit. J'avais le visage barbouillé, égratigné, meurtri, les mains noires. Ma figure était si étrange que ma mère, au milieu de sa colère, ne se pouvait empêcher de rire et de s'écrier : “ Qu'il est laid ! ”

J'aimais pourtant et j'ai toujours aimé la propreté, même l'élégance. La nuit, j'essayais de raccommoder mes lambeaux : la bonne Villeneuve[4] et ma Lucile[5] m'aidaient à réparer ma toilette, afin de m'épargner des pénitences et des gronderies; mais leur rapiécetage ne servait qu'à rendre mon accoutrement plus bizarre. J'étais surtout désolé quand je paraissais déguenillé au milieu des enfants, fiers de leurs habits neufs et de leur braverie[6]....

Certains jours de l'année, les habitants de la ville et de la campagne se rencontraient à des foires appelées *assemblées*, qui se tenaient dans les îles et sur des forts autour de Saint-Malo; ils s'y rendaient à pied quand la mer était basse, en bateau lorsqu'elle était haute. La multitude de matelots et de paysans; les charrettes entoilées; les caravanes de chevaux, d'ânes et de mulets; le concours[7] des marchands; les tentes plantées sur le rivage; les pro-

1. *Arène* : sable. — 2. *Sans étude* : sans soins, sans qu'on se souciât de moi. — 3. *Le Sillon* : étroite chaussée qui rattache à la terre ferme l'îlot rocheux sur lequel est bâti Saint-Malo. — 4. Une domestique de la maison. — 5. Sa sœur. Cf. p. 70, n. 1. — 6. *Braverie* : élégance. *Être brave* se dit encore dans certaines provinces pour : être habillé avec élégance, paré avec soin. — 7. *Concours* : affluence, venue en masse.

cessions de moines et de confréries qui serpentaient avec leurs bannières et leurs croix au milieu de la foule; les chaloupes allant et venant à la rame ou à la voile; les vaisseaux entrant au port, ou mouillant en rade; les salves d'artillerie, le branle des cloches, tout contribuait à répandre dans ces réunions le bruit, le mouvement et la varieté.

J'étais le seul témoin de ces fêtes qui n'en partageât pas la joie. J'y paraissais sans argent pour acheter des jouets et des gâteaux. Évitant le mépris qui s'attache à la mauvaise fortune, je m'asseyais loin de la foule, auprès de ces flaques d'eau que la mer entretient et renouvelle dans les concavités des rochers. Là, je m'amusais à voir voler les pingouins et les mouettes, à béer aux lointains bleuâtres, à ramasser des coquillages, à écouter le refrain des vagues parmi les écueils. Le soir, au logis, je n'étais guère plus heureux; j'avais une répugnance pour certains mets : on me forçait d'en manger. J'implorais des yeux La France[1] qui m'enlevait adroitement mon assiette, quand mon père tournait la tête. Pour le feu, même rigueur : il ne m'était pas permis d'approcher de la cheminée. Il y a loin de ces parents sévères aux gâte-enfants d'aujourd'hui.

Mais si j'avais des peines qui sont inconnues de l'enfance nouvelle, j'avais aussi quelques plaisirs qu'elle ignore.

Durant les jours de fête, j'étais conduit en station[2] avec mes sœurs aux divers sanctuaires de la ville, à la chapelle de Saint-Aaron, au couvent de la Victoire; mon oreille était frappée de la douce voix de quelques femmes invisibles : l'harmonie de leurs cantiques se mêlait aux mugissements des flots. Lorsque, dans l'hiver, à l'heure du Salut, la cathédrale se remplissait de la foule; que de vieux matelots à genoux, de jeunes femmes et des enfants lisaient, avec de petites bougies, dans leurs Heures[3]; que la multitude, au moment de la bénédiction, répétait en chœur le *Tantum ergo*[4]; que, dans l'intervalle de ces chants, les rafales de Noël frôlaient les vitraux de la basilique, ébranlaient les voûtes de cette nef que fit résonner la mâle poitrine de Jacques Cartier[5] et de Duguay-Trouin[6], j'éprouvais un sentiment extraordinaire de religion. Je n'avais pas besoin que la Villeneuve me dît de joindre les mains pour invoquer Dieu par tous les noms que ma mère m'avait appris; je voyais les cieux ouverts, les anges offrant notre encens et nos vœux; je courbais mon front : il n'était point encore

1. Domestique de la famille. — 2. *Station* : étape de pèlerinage. — 3. *Heures* : livres contenant les offices liturgiques. — 4. *Tantum ergo* : premiers mots du chant qui précède la bénédiction du Saint Sacrement. — 5. Navigateur né à Saint-Malo en 1494, explorateur de l'Amérique septentrionale. — 6. Célèbre marin né à Saint-Malo (1673-1736).

chargé de ces ennuis qui pèsent si horriblement sur nous, qu'on est tenté de ne plus relever la tête lorsqu'on l'a inclinée au pied des autels. (Livre I.)

LE PRINTEMPS EN BRETAGNE

Le printemps, en Bretagne, est plus doux qu'aux environs de Paris, et fleurit trois semaines plus tôt. Les cinq oiseaux qui l'annoncent, l'hirondelle, le loriot, le coucou, la caille et le rossignol, arrivent avec des brises qui hébergent[1] dans les golfes de la péninsule armoricaine. La terre se couvre de marguerites, de pensées, de jonquilles, de narcisses, d'hyacinthes, de renoncules, d'anémones, comme les espaces abandonnés qui environnent Saint-Jean de Latran[2] et Sainte-Croix de Jérusalem, à Rome. Des clairières se panachent d'élégantes et hautes fougères; des champs de genêts et d'ajoncs resplendissent de leurs fleurs qu'on prendrait pour des papillons d'or. Les haies, au long desquelles abondent la fraise, la framboise et la violette, sont décorées d'aubépine, de chèvrefeuille, de ronces dont les rejets bruns et courbés portent des feuilles et des fruits magnifiques. Tout fourmille d'abeilles et d'oiseaux; les essaims et les nids arrêtent les enfants à chaque pas. Dans certains abris, le myrte et le laurier-rose croissent en pleine terre, comme en Grèce; la figue mûrit comme en Provence; chaque pommier, avec ses fleurs carminées, ressemble à un gros bouquet de fiancée de village.... (Livre II.)

UNE AVENTURE D'ÉCOLIER

Lorsque le temps était beau, les pensionnaires du collège de Dol[3] sortaient le jeudi et le dimanche. On nous menait souvent au mont Dol, au sommet duquel se trouvaient quelques ruines gallo-romaines : du haut de ce tertre isolé, l'œil plane sur la mer et sur des marais où voltigent pendant la nuit des feux follets, lumière des sorciers qui brûle aujourd'hui dans nos lampes[4]. Un autre but de nos promenades était les prés qui environnaient un séminaire d'*Eudistes* (d'Eudes, frère de l'historien Mézerai[5], fondateur de leur congrégation)[6].

Un jour du mois de mai, l'abbé Égault, préfet[7] de semaine, nous avait conduits à ce séminaire : on nous laissait une grande

1. *Hébergent* : demeurent, logent — 2. *Saint-Jean de Latran* : une des plus célèbres basiliques de Rome. — 3. *Dol* : petite ville entre Saint-Malo et Combourg. — 4. Allusion au gaz d'éclairage inventé par Le Bon vers 1800. Les feux follets proviennent de l'inflammation des gaz produits par la décomposition des matières des marais. — 5. *Mézeray*, 1610-1683. — 6. En 1643. — 7. *Préfet* : surveillant.

liberté de jeux, mais il était expressément défendu de monter sur les arbres. Le régent[1], après nous avoir établis dans un chemin herbu, s'éloigna pour dire son bréviaire.

Des ormes bordaient le chemin : tout à la cime du plus grand, brillait un nid de pie : nous voilà en admiration, nous montrant mutuellement la mère assise sur ses œufs, et pressés du plus vif désir de saisir cette superbe proie. Mais qui oserait tenter l'aventure ? L'ordre était si sévère, le régent si près, l'arbre si haut ! Toutes les espérances se tournent vers moi; je grimpais comme un chat. J'hésite, puis la gloire l'emporte : je me dépouille de mon habit, j'embrasse[2] l'orme et je commence à monter. Le tronc était sans branches, excepté aux deux tiers de sa crue[3], où se formait une fourche dont une des pointes portait le nid.

Mes camarades, assemblés sous l'arbre, applaudissaient à mes efforts, me regardant, regardant l'endroit d'où pouvait venir le préfet, trépignant de joie dans l'espoir des œufs, mourant de peur dans l'attente du châtiment. J'aborde au nid; la pie s'envole; je ravis les œufs, je les mets dans ma chemise et redescends. Malheureusement, je me laisse glisser entre les tiges jumelles et j'y reste à califourchon. L'arbre étant élagué, je ne pouvais appuyer mes pieds ni à droite ni à gauche pour me soulever et reprendre le limbe[4] extérieur : je demeure suspendu en l'air à cinquante pieds.

Tout à coup un cri : " Voici le préfet ! " et je me vois incontinent[5] abandonné de mes amis, comme c'est l'usage. Un seul, appelé Le Gobbien, essaya de me porter secours, et fut tôt obligé de renoncer à sa généreuse entreprise. Il n'y avait qu'un moyen de sortir de ma fâcheuse position, c'était de me suspendre en dehors par les mains à l'une des deux dents de la fourche, et de tâcher de saisir avec mes pieds le tronc de l'arbre au-dessous de sa bifurcation. J'exécutai cette manœuvre au péril de ma vie. Au milieu de mes tribulations je n'avais pas lâché mon trésor; j'aurais pourtant mieux fait de le jeter, comme depuis j'en ai jeté tant d'autres. En dévalant[6] le tronc, je m'écorchai les mains, je m'éraillai les jambes et la poitrine, et j'écrasai les œufs : ce fut ce qui me perdit. Le préfet ne m'avait point vu sur l'orme; je lui cachai assez bien mon sang, mais il n'y eut pas moyen de lui dérober l'éclatante couleur d'or dont j'étais barbouillé. " Allons, me dit-il, monsieur, vous aurez le fouet. "

Si cet homme m'eût annoncé qu'il commuait cette peine en celle de mort, j'aurais éprouvé un mouvement de joie. L'idée

1. *Régent* : ancien nom des professeurs de collège; ici, synonyme de *préfet*. — 2. *J'embrasse* : j'entoure de mes bras. — 3. *Crue* : croissance, hauteur. — 4. *Limbe* : surface de l'arbre, en dehors de la fourche. — 5. *Incontinent* : sur-le-champ. — 6. *Dévalant* : descendant le long de.

de la honte n'avait point approché de mon éducation sauvage : à tous les âges de ma vie, il n'y a point de supplice que je n'eusse préféré à l'horreur d'avoir à rougir devant une créature vivante. L'indignation s'éleva dans mon cœur; je répondis à l'abbé Égault, avec l'accent non d'un enfant, mais d'un homme, que jamais ni lui ni personne ne lèverait la main sur moi. Cette réponse l'anima; il m'appela rebelle et promit de faire un exemple. " Nous verrons ", répliquai-je, et je me mis à jouer à la balle avec un sang-froid qui le confondit.

Nous retournâmes au collège; le régent me fit entrer chez lui et m'ordonna de me soumettre. Mes sentiments exaltés firent place à des torrents de larmes. Je représentai à l'abbé Égault qu'il m'avait appris le latin; que j'étais son écolier, son disciple, son enfant; qu'il ne voudrait pas déshonorer son élève, et me rendre la vue de mes camarades insupportable; qu'il pouvait me mettre en prison, au pain et à l'eau, me priver de mes récréations, me charger de *pensums*, que je lui saurais gré de cette clémence et l'en aimerais davantage. Je tombai à ses genoux, je joignis les mains, je le suppliai par Jésus-Christ de m'épargner : il demeura sourd à mes prières. Je me levai plein de rage et lui lançai dans les jambes un coup de pied si rude qu'il en poussa un cri. Il court en clochant à la porte de sa chambre, la ferme à double tour et revient sur moi. Je me retranche derrière son lit; il m'allonge à travers le lit des coups de férule. Je m'entortille dans la couverture et, m'animant au combat, je m'écrie :

Macte animo, generose puer[1] !

Cette érudition de grimaud[2] fit rire malgré lui mon ennemi; il parla d'armistice : nous conclûmes un traité; je convins de m'en rapporter à l'arbitrage du principal[3]. Sans me donner gain de cause, le principal me voulut bien soustraire à la punition que j'avais repoussée. Quand l'excellent prêtre prononça mon acquittement, je baisai la manche de sa robe avec une telle effusion de cœur et de reconnaissance, qu'il ne se pût empêcher de me donner sa bénédiction. Ainsi se termina le premier combat que me fit rendre[4] cet honneur devenu l'idole de ma vie, et auquel j'ai tant de fois sacrifié repos, plaisir et fortune. (Livre II.)

LA VIE A COMBOURG

Quatre maîtres (mon père, ma mère, ma sœur et moi) habitaient le château de Combourg[5]. Une cuisinière, une femme de

1. « Courage, noble enfant! » Stace (emprunt à Virgile, *Enéide*, IX, 640). — 2. *Grimaud* : petit écolier, qui n'a encore appris que les éléments. — 3. *Principal* : directeur du collège. — 4. *Rendre* : livrer. — 5. Près de Dol.

chambre, deux laquais et un cocher composaient tout le domestique[1]; un chien de chasse et deux vieilles juments étaient retranchés dans un coin de l'écurie. Ces douze êtres vivants disparaissaient dans un manoir où l'on aurait à peine aperçu cent chevaliers, leurs dames, leurs écuyers, leurs varlets[2], les destriers[3] et la meute du roi Dagobert....

Le calme morne du château de Combourg était augmenté par l'humeur taciturne et insociable de mon père. Au lieu de resserrer sa famille et ses gens autour de lui, il les avait dispersés à toutes les aires[4] de vent de l'édifice. Sa chambre à coucher était placée dans la petite tour de l'Est, et son cabinet dans la petite tour de l'Ouest. Les meubles de ce cabinet consistaient en trois chaises de cuir noir et une table couverte de titres et de parchemins. Un arbre généalogique de la famille des Chateaubriand tapissait le manteau de la cheminée, et dans l'embrasure d'une fenêtre on voyait toutes sortes d'armes, depuis le pistolet jusqu'à l'espingole[5]. L'appartement de ma mère régnait au-dessus de la grand-salle, entre les deux petites tours : il était parqueté et orné de glaces de Venise à facettes. Ma sœur habitait un cabinet dépendant de l'appartement de ma mère. La femme de chambre couchait loin de là dans le corps de logis des grandes tours. Moi, j'étais niché dans une espèce de cellule isolée, au haut de la tourelle de l'escalier qui communiquait de la cour intérieure aux diverses parties du château. Au bas de cet escalier, le valet de chambre de mon père et le domestique gisaient dans des caveaux voûtés, et la cuisinière tenait garnison dans la grosse tour de l'Ouest.

Mon père se levait à quatre heures du matin, hiver comme été : il venait dans la cour intérieure appeler et éveiller son valet de chambre, à l'entrée de l'escalier de la tourelle. On lui apportait un peu de café à cinq heures; il travaillait ensuite dans son cabinet jusqu'à midi. Ma mère et ma sœur déjeunaient chacune dans leur chambre, à huit heures du matin. Je n'avais aucune heure fixe, ni pour me lever, ni pour déjeuner; j'étais censé étudier jusqu'à midi : la plupart du temps je ne faisais rien.

A onze heures et demie, on sonnait le dîner que l'on servait à midi. La grand-salle était à la fois salle à manger et salon : on dînait et l'on soupait à l'une de ses extrémités du côté de l'Est; après les repas, on se venait placer à l'autre extrémité du côté de

1. *Le domestique* : la domesticité. — 2. *Varlets* : pages, fils de gentilshommes au service d'un chevalier. — 3. *Destriers* : chevaux de bataille (ainsi nommés dans le langage de la chevalerie parce que les écuyers les conduisaient par la main droite, ou dextre, quand les chevaliers ne les montaient pas). — 4. *Aires* : directions. — 5. *Espingole* : sorte de fusil court, à canon évasé en forme de trompe.

Photo Roubier.

CHATEAU DE COMBOURG LA FENÊTRE DE CHATEAUBRIAND

l'Ouest, devant une énorme cheminée. La grand-salle était boisée, peinte en gris blanc et ornée de vieux portraits depuis le règne de François Ier jusqu'à celui de Louis XIV; parmi ces portraits, on distinguait ceux de Condé et de Turenne : un tableau, représentant Hector tué par Achille sous les murs de Troie, était suspendu au-dessus de la cheminée.

Le dîner fait, on restait ensemble jusqu'à deux heures. Alors, si, l'été, mon père prenait le divertissement de la pêche, visitait ses potagers, se promenait dans l'étendue du vol d'un chapon[1]; si, l'automne et l'hiver, il partait pour la chasse, ma mère se retirait dans la chapelle, où elle passait quelques heures en prière. Cette chapelle était un oratoire sombre, embelli de bons tableaux des plus grands maîtres, qu'on ne s'attendait guère à trouver dans un château féodal, au fond de la Bretagne. J'ai aujourd'hui en ma possession une *Sainte Famille* de l'Albane[2], peinte sur cuivre, tirée de cette chapelle : c'est tout ce qui me reste de Combourg.

Mon père parti et ma mère en prière, Lucile[3] s'enfermait dans sa chambre; je regagnais ma cellule, ou j'allais courir les champs.

A huit heures, la cloche annonçait le souper. Après le souper, dans les beaux jours, on s'asseyait sur le perron. Mon père, armé de son fusil, tirait les chouettes qui sortaient des créneaux à l'entrée de la nuit. Ma mère, Lucile et moi, nous regardions le ciel, les bois, les derniers rayons du soleil, les premières étoiles. A dix heures, on rentrait et l'on se couchait.

Les soirées d'automne et d'hiver étaient d'une autre nature. Le souper fini et les quatre convives revenus de la table à la cheminée, ma mère se jetait en soupirant sur un vieux lit de jour[4] de siamoise[5] flambée[6]; on mettait devant elle un guéridon et une bougie. Je m'asseyais auprès du feu avec Lucile; les domestiques enlevaient le couvert et se retiraient. Mon père commençait alors une promenade qui ne cessait qu'à l'heure de son coucher. Il était vêtu d'une robe de ratine[7] blanche, ou plutôt d'une espèce de manteau que je n'ai vu qu'à lui. Sa tête, demi-chauve, était couverte d'un grand bonnet blanc qui se tenait tout droit. Lorsqu'en se promenant il s'éloignait du foyer, la vaste salle était si peu éclairée par une seule bougie qu'on ne le voyait plus; on l'en-

1. *L'étendue du vol d'un chapon* : ancien terme de droit pour désigner l'étendue de terre qui appartenait à l'aîné dans un partage noble avec ses frères, et qui était évalué à l'espace qu'un chapon pourrait franchir en volant (à peu près la valeur d'un arpent). — 2. *L'Albane* : peintre italien, né à Bologne (1578-1660). — 3. *Lucile* : cf. p. 70 et p. 75. — 4. *Lit de jour* : canapé, divan. — 5. *Siamoise* : étoffe de coton rayée, dans le genre des toiles venant du Siam. — 6. *Flambée* : qu'on a passée au feu pour enlever le duvet du coton. — 7. *Ratine* : étoffe de laine à poil long et frisé.

tendait seulement encore marcher dans les ténèbres; puis il revenait lentement vers la lumière et émergeait peu à peu de l'obscurité, comme un spectre, avec sa robe blanche, son bonnet blanc, sa figure longue et pâle. Lucile et moi nous échangions quelques mots à voix basse quand il était à l'autre bout de la salle; nous nous taisions quand il se rapprochait de nous. Il nous disait en passant : " De quoi parliez-vous ? " Saisis de terreur, nous ne répondions rien; il continuait sa marche. Le reste de la soirée, l'oreille n'était plus frappée que du bruit mesuré de ses pas, des soupirs de ma mère et du murmure du vent.

Dix heures sonnaient à l'horloge du château : mon père s'arrêtait : le même ressort, qui avait soulevé le marteau de l'horloge, semblait avoir suspendu ses pas. Il tirait sa montre, la montait, prenait un flambeau d'argent surmonté d'une grande bougie, entrait un moment dans la petite tour de l'Ouest[1], puis revenait son flambeau à la main, et s'avançait vers sa chambre à coucher, dépendante de la petite tour de l'Est. Lucile et moi nous nous tenions sur son passage; nous l'embrassions en lui souhaitant une bonne nuit. Il penchait vers nous sa joue sèche et creuse sans nous répondre, continuait sa route et se retirait au fond de la tour, dont nous entendions les portes se refermer sur lui.

Le talisman était brisé[2]; ma mère, ma sœur et moi, transformés en statues par la présence de mon père, nous recouvrions les fonctions de la vie. Le premier effet de notre désenchantement[3] se manifestait par un débordement de paroles : si le silence nous avait opprimés, il nous le payait cher.

Ce torrent de paroles écoulé, j'appelais la femme de chambre et je reconduisais ma mère et ma sœur à leur appartement. Avant de me retirer, elles me faisaient regarder sous les lits, dans les cheminées, les passages et les corridors voisins. Toutes les traditions du château, voleurs et spectres, leur revenaient en mémoire. Les gens étaient persuadés qu'un certain comte de Combourg, à jambe de bois, mort depuis trois siècles, apparaissait à certaines époques, et qu'on l'avait rencontré dans le grand escalier de la tourelle : sa jambe de bois se promenait aussi quelquefois seule avec un chat noir.

Ces récits occupaient tout le temps du coucher de ma mère et de ma sœur : elles se mettaient au lit mourantes de peur; je me retirais au haut de ma tourelle; la cuisinière rentrait dans la grosse tour, et les domestiques descendaient dans leur souterrain.

1. C'est là que se trouvait son cabinet de travail. — 2. *Le talisman était brisé* : le charme était rompu. La présence du père agissait sur eux comme une influence magique. — 3. *Désenchantement* : état de personnes qui cessent d'être soumises à un pouvoir magique.

[La fenêtre de mon donjon s'ouvrait sur la cour intérieure, le jour, j'avais en perspective les créneaux de la courtine[1] opposée, où végétaient des scolopendres[2] et croissait un prunier sauvage. Quelques martinets[3], qui, durant l'été, s'enfonçaient en criant dans les trous des murs, étaient mes seuls compagnons. La nuit je n'apercevais qu'un petit morceau de ciel et quelques étoiles. Lorsque la lune brillait et qu'elle s'abaissait à l'occident, j'en étais averti par ses rayons, qui venaient à mon lit au travers des carreaux losangés de la fenêtre. Des chouettes, voletant d'une tour à l'autre, passant et repassant entre la lune et moi, dessinaient sur mes rideaux l'ombre mobile de leurs ailes. Relégué dans l'endroit le plus désert, à l'ouverture des galeries, je ne perdais pas un murmure des ténèbres. Quelquefois le vent semblait courir à pas légers; quelquefois il laissait échapper des plaintes; tout à coup ma porte était ébranlée avec violence, les souterrains poussaient des mugissements, puis ces bruits expiraient pour recommencer encore. A quatre heures du matin, la voix du maître du château, appelant le valet de chambre à l'entrée des voûtes séculaires, se faisait entendre comme la voix du dernier fantôme de la nuit. Cette voix remplaçait pour moi la douce harmonie au son de laquelle le père de Montaigne éveillait son fils[4].

L'entêtement du comte de Chateaubriand à faire coucher un enfant seul au haut d'une tour pouvait avoir quelque inconvénient : mais il tourna à mon avantage. Cette manière violente de me traiter me laissa le courage d'un homme, sans m'ôter cette sensibilité d'imagination dont on voudrait aujourd'hui priver la jeunesse. Au lieu de chercher à me convaincre qu'il n'y avait point de revenants, on me força de les braver. Lorsque mon père me disait avec un sourire ironique : " Monsieur le chevalier[5] aurait-il peur ? " il m'eût fait coucher avec un mort. Lorsque mon excellente mère me disait : " Mon enfant, tout n'arrive que par la permission de Dieu; vous n'avez rien à craindre des mauvais esprits, tant que vous serez bon chrétien ", j'étais mieux rassuré que par tous les arguments de la philosophie. Mon succès fut si complet que les vents de la nuit, dans ma tour déshabitée, ne servaient que de jouets à mes caprices et d'ailes à mes songes. Mon imagination allumée, se propageant sur tous les objets, ne trouvait nulle part assez de nourriture et aurait dévoré la terre et le ciel.]

(Livre III.)

1. *Courtine* : muraille entre deux tours. — 2. *Scolopendres* : genre de fougères dont les feuilles, au lieu d'être découpées, sont en forme de langue. — 3. *Martinets* : sorte d'hirondelles de rochers. — 4. Le père de Montaigne éveillait son fils au son des instruments de musique (*Essais*, I, 25). — 5. *Chevalier* : dernier titre de la hiérarchie nobiliaire, au-dessous de baron.

CARACTÈRE DE LUCILE

Lucile était grande et d'une beauté remarquable mais sérieuse. Son visage pâle était accompagné de longs cheveux noirs; elle attachait souvent au ciel ou promenait autour d'elle des regards pleins de tristesse ou de feu. Sa démarche, sa voix, son sourire, sa physionomie avaient quelque chose de rêveur et de souffrant.

Lucile et moi nous nous étions inutiles. Quand nous parlions du monde, c'était de celui que nous portions au-dedans de nous et qui ressemblait bien peu au monde véritable. Elle voyait en moi son protecteur, je voyais en elle mon amie. Il lui prenait des accès de pensées noires que j'avais peine à dissiper : à dix-sept ans, elle déplorait la perte de ses jeunes années; elle se voulait ensevelir dans un cloître. Tout lui était souci, chagrin, blessure : une expression qu'elle cherchait, une chimère qu'elle s'était faite la tourmentaient des mois entiers. Je l'ai souvent vue, un bras jeté sur sa tête, rêver immobile et inanimée; retirée vers son cœur, sa vie cessait de paraître au-dehors; son sein même ne se soulevait plus. Par son attitude, sa mélancolie, sa vénusté[1], elle ressemblait à un Génie funèbre. J'essayais alors de la consoler et, l'instant d'après, je m'abîmais dans des désespoirs inexplicables.

Lucile aimait à faire seule, vers le soir, quelque lecture pieuse : son oratoire de prédilection était l'embranchement de deux routes champêtres, marqué par une croix de pierre et par un peuplier dont le long style[2] s'élevait dans le ciel comme un pinceau. Ma dévote mère, toute charmée, disait que sa fille lui représentait une chrétienne de la primitive Église, priant à ces stations appelées *laures*[3].

De la concentration de l'âme naissaient, chez ma sœur, des effets d'esprit extraordinaires : endormie, elle avait des songes prophétiques; éveillée, elle semblait lire dans l'avenir. Sur un palier de l'escalier de la grande tour, battait une pendule qui sonnait le temps au silence; Lucile, dans ses insomnies, allait s'asseoir sur une marche, en face de cette pendule; elle regardait le cadran à la lueur de sa lampe posée à terre. Lorsque les deux aiguilles, unies à minuit, enfantaient dans leur conjonction[4] formidable l'heure des désordres et des crimes, Lucile entendait des bruits qui lui révélaient des trépas lointains. Se trouvant à Paris quelques jours avant le 10 août et demeurant avec mes autres sœurs dans le voisinage du couvent des Carmes[5], elle jette les yeux sur une

1. *Vénusté* : grâce, élégance. — 2. *Style* : tige (mot grec signifiant *colonne*). — 3. *Laures* : monastères champêtres (mot grec) — 4. *Conjonction* : rencontre. — 5. *Les Carmes* : couvent près de la place Maubert.

glace, pousse un cri et dit : " Je viens de voir entrer la mort. " Dans les bruyères de la Calédonie[1], Lucile eût été une femme céleste de Walter Scott[2], douée de la seconde vue; dans les bruyères armoricaines, elle n'était qu'une solitaire avantagée de beauté, de génie et de malheur[3]. (Livre III.)

JOIES DE L'AUTOMNE

Plus la saison était triste, plus elle était en rapport avec moi; le temps des frimas, en rendant les communications moins faciles, isole les habitants des campagnes : on se sent mieux à l'abri des hommes.

Je voyais avec un plaisir indicible le retour de la saison des tempêtes, le passage des cygnes et des ramiers, le rassemblement des corneilles dans la prairie de l'étang ou leur perchée[4] à l'entrée de la nuit sur les hauts chênes du grand mail[5]. Lorsque le sol élevait une vapeur bleuâtre au carrefour des forêts, que les complaintes ou les lais[6] du vent gémissaient dans les mousses flétries, j'entrais en pleine possession des sympathies de ma nature[7]. Rencontrais-je quelque laboureur, je m'arrêtais pour regarder cet homme germé à l'ombre des épis, parmi lesquels il devait être moissonné et qui, retournant la terre de sa tombe avec le soc de sa charrue, mêlait ses sueurs brûlantes aux pluies glacées de l'automne; le sillon qu'il creusait était le monument[8] destiné à lui survivre....

Le soir, je m'embarquais sur l'étang[9], conduisant seul mon bateau au milieu des joncs et des larges feuilles de nénuphar. Là se réunissaient les hirondelles prêtes à quitter nos climats. Je ne perdais pas un seul de leurs gazouillis. Tavernier[10] enfant était moins attentif au récit d'un voyageur. Elles se jouaient sur l'eau au tomber du soleil, poursuivaient les insectes, s'élançaient ensemble dans les airs, comme pour éprouver leurs ailes,

1. *Calédonie* : ancien nom de l'Écosse. — 2. *Walter Scott* : célèbre romancier écossais (1771-1832), dont les romans *Ivanhoë, La Fiancée de Lammermoor, Quentin Durward* exercèrent une grande influence sur notre romantisme. — 3. D'une sensibilité maladive, Lucile, peu aimée de ses parents, avait porté toute son affection sur son frère. Emprisonnée avec sa mère pendant la Terreur, elle épousa ensuite M. de Caud, beaucoup plus âgé qu'elle; devenue veuve peu après, elle mourut folle le 11 novembre 1804. — 4. *Perchée* : action de se percher. — 5. *Mail* : pelouse. Proprement : allée préparée pour jouer au mail, jeu qui consiste à pousser une boule suivant certaines règles avec un maillet. — 6. *Lais* : chansons. Terme du moyen âge. — 7. *Les sympathies de ma nature* : les sensations et émotions qui convenaient à mon caractère. — 8. *Monument* : tout ce qui rappelle un souvenir. — 9. *L'étang* qui se trouve au pied du château de Combourg. — 10. *Tavernier*, célèbre voyageur qui visita la Turquie, la Perse et les Indes (1605-1689).

se rabattaient à la surface du lac, puis se venaient suspendre aux roseaux que leur poids couchait à peine et qu'elles remplissaient de leur ramage confus. La nuit descendait, les roseaux agitaient leurs champs de quenouilles et de glaives[1], parmi lesquels la caravane emplumée, poules d'eau, sarcelles, martins-pêcheurs, bécassines, se taisait; le lac battait ses bords; les grandes voix de l'automne sortaient des marais et des bois; j'échouais mon bateau au rivage et retournais au château.

(Livre III.)

DÉPART POUR L'AMÉRIQUE

On leva l'ancre[2], moment solennel parmi les navigateurs. Le soleil se couchait quand le pilote côtier nous quitta, après nous avoir mis hors des passes[3]. Le temps était sombre, la brise molle, et la houle battait lourdement les écueils à quelques encablures[4] du vaisseau.

Mes regards restaient attachés sur Saint-Malo. Je venais d'y laisser ma mère tout en larmes. J'apercevais les clochers et les dômes[5] des églises où j'avais prié avec Lucile, les murs, les remparts, les forts, les tours, les grèves où j'avais passé mon enfance avec mes camarades de jeu; j'abandonnais ma patrie déchirée, lorsqu'elle perdait un homme[6] que rien ne pouvait remplacer. Je m'éloignais également incertain des destinées de mon pays et des miennes : qui périrait de la France ou de moi ? Reverrais-je jamais cette France et ma famille ?

Le calme nous arrêta avec la nuit au débouquement[7] de la rade; les feux de la ville et les phares s'allumèrent : ces lumières qui tremblaient sous mon toit paternel semblaient à la fois me sourire et me dire adieu, en m'éclairant parmi les rochers, les ténèbres de la nuit et l'obscurité des flots.

Je n'emportais que ma jeunesse et mes illusions; je désertais un monde de qui la terre et le ciel m'étaient inconnus. Que devait-

1. *Quenouilles, glaives* : les tiges des roseaux se terminent par des sortes d'épis ressemblant à ces quenouilles; leurs feuilles sont allongées et pointues comme des lames d'épées. — 2. Le 8 avril 1791. — 3. *Les passes.* L'accès du port de Saint-Malo, entre les rochers du Grand-Bé et du Petit-Bé, est assez difficile, et un pilote expérimenté doit guider tous les navires qui entrent ou qui sortent. — 4. *Encablure* : le dixième du mille marin; environ 182 m. — 5. *Dômes.* La cathédrale de Saint-Malo était alors surmontée d'un dôme; l'église de Saint-Servan, ville voisine de Saint-Malo, a encore un clocher terminé par un dôme. — 6. Mirabeau, mort le 2 avril 1791. — 7. *Débouquement* : sortie d'un chenal, d'un étroit passage entre des rochers et des îles.

il m'arriver si j'atteignais le but de mon voyage ? Égaré sur les rives hyperboréennes, les années de discorde qui ont écrasé tant de générations avec tant de bruit seraient tombées en silence sur ma tête; la société eût renouvelé sa face, moi absent. Il est probable que je n'aurais jamais eu le malheur d'écrire; mon nom serait demeuré ignoré, ou il ne s'y fût attaché qu'une de ces renommées paisibles au-dessous de la gloire, dédaignées de l'envie et laissées au bonheur. Qui sait si j'eusse repassé l'Atlantique, si je ne me serais point fixé dans les solitudes, à mes risques et périls explorées et découvertes, comme un conquérant au milieu de ses conquêtes ?

Mais non ! je devais rentrer dans ma patrie pour y changer de misères, pour y être tout autre chose que ce que j'avais été. Cette mer, au giron de laquelle j'étais né, allait devenir le berceau de ma seconde vie ; j'étais porté par elle, dans mon premier voyage, comme dans le sein de ma nourrice, dans les bras de la confidente de mes premiers pleurs et de mes premiers plaisirs.

Le jusant[1], au défaut de la brise, nous entraîna au large, les lumières du rivage diminuèrent peu à peu et disparurent. Épuisé de réflexions, de regrets vagues, d'espérances plus vagues encore, je descendis à ma cabine; je me couchai, balancé dans mon hamac au bruit de la lame qui caressait le flanc du vaisseau. Le vent se leva; les voiles déferlées[2] qui coiffaient les mâts s'enflèrent, et quand je montai sur le tillac le lendemain matin, on ne voyait plus la terre de France.

(Livre V.)

1. *Jusant* : reflux, marée descendante. — 2. *Déferlées* : déployées.

APPENDICE

DOCUMENTS

NOUVEAUTÉ ET INFLUENCE DE L'ŒUVRE DE CHATEAUBRIAND

I. — " L'ascendant troublant " d'Atala. — " On a fait bien des critiques d'*Atala*, et dans le temps même où elle a paru et depuis. Toutes ou presque toutes sont justes. Ce petit roman qui ne devait être primitivement qu'un épisode de la grande épopée des *Natchez* en a les défauts. Je dis *roman* et j'ai tort. Dans la pensée de l'artiste, c'était moins un *roman* qu'un *poème*, un poème moitié descriptif, moitié dramatique, renchérissant sur les anciens, sur les modernes, sur le poème de *Paul et Virginie*, le dernier en date. L'auteur voulait présenter un tableau du trouble de la passion chez des natures sauvages et primitives, placées au sein d'un désert inconnu et non encore décrit. Il voulait, de plus, mettre cette passion en contraste et aux prises, à la fin, avec le calme de la religion, — de la religion qui, telle qu'il l'allait peindre, devenait une nouveauté aussi, une résurrection et comme une découverte. Qu'il y ait eu de l'arrangement et de la symétrie jusque dans le désordonné des peintures; que les paysages soient tout composites, et ne se retrouvent nulle part, avec tout cet assemblage imaginatif, dans la nature même et dans la réalité; qu'à côté de ces impossibilités d'histoire naturelle, il y ait des anachronismes non moins visibles dans les sentiments; qu'il y ait des effets forcés et voulus; que, sous prétexte d'innovation, l'auteur moderne ait sans cesse des réminiscences de l'Antiquité; qu'il parodie souvent Homère et Théocrite en les déguisant à la sauvage, tout cela est vrai; et il est vrai encore que les caractères de ses deux personnages principaux ne sont pas consistants et qu'ils assemblent des qualités contraires, inconciliables, tenant à des âges de civilisation très différents. Le christianisme, on l'a dit, est plaqué dans le personnage d'Atala; il n'y a pas en elle cette fusion insensible qui fait le charme; il y a du tatouage. Que sais-je encore ? Mais quand on a dit tout cela, on n'a rien prouvé; le talent de l'auteur, dans ce qu'il a précisément de neuf, de puissant et de grand, ne laisse pas de vous prendre, de vous remuer étrangement et de triompher. Qu'on relise d'une part cet adorable livre de *Paul et Virginie*; qu'on relise ensuite *Atala* ! on est enlevé malgré soi, entraîné, enivré. Je l'ai dit ailleurs :

" Malgré tout, Atala garde non pas son charme (c'est un mot trop doux et que j'aime mieux laisser à Virginie), mais son ascendant troublant; au milieu de toutes les réserves qu'une saine critique oppose, la flamme divine y a passé par les lèvres de Chactas ou de l'auteur, qu'importe ? Il y a de la grandeur même dans la convulsion. L'orage du cœur y vibre et y réveille les échos les plus secrets. On y sent le philtre, le poison qui, une fois connu, ne se guérit pas; on emporte avec soi la flèche empoisonnée du désert. "

M. Joubert, l'ami intime, l'ami du cœur et du génie de M. de Chateaubriand, écrivait à Mme de Beaumont, inquiète et craintive, à la veille de la publication d'*Atala* (mars 1801), cette lettre qui est restée le jugement définitif et qu'enregistre la postérité :

" Je ne partage pas vos craintes, car ce qui est beau ne peut manquer de plaire; et il y a dans cet ouvrage une Vénus, céleste pour les uns, terrestre pour les autres, mais se faisant sentir à tous.

" Ce livre-ci n'est point un livre comme un autre. Son prix ne dépend point de sa matière qui sera cependant regardée par les uns comme son mérite, et par les autres comme son défaut; il ne dépend pas même de sa forme, objet plus important, et où les bons juges trouveront peut-être à reprendre, mais ne trouveront rien à désirer, Pourquoi ? parce que, pour être content, le goût n'a pas besoin de trouver la perfection. *Il y a un charme, un talisman qui tient aux doigts de l'ouvrier. Il l'aura mis partout, parce qu'il a tout manié*, et partout où sera ce charme, cette empreinte, ce caractère, là sera aussi un plaisir dont l'esprit sera satisfait. Je voudrais avoir le temps de vous expliquer tout cela, et de vous le faire sentir, pour chasser vos poltronneries; mais je n'ai qu'un moment à vous donner aujourd'hui, et je ne veux pas différer de vous dire combien vous êtes peu raisonnable dans vos défiances. Le livre est fait, et, par conséquent, le moment critique est passé. *Il réussira parce qu'il est de l'Enchanteur.* S'il y a laissé des gaucheries, c'est à vous que je m'en prendrai; mais vous m'avez paru si rassurée sur ce point, que je n'ai aucune inquiétude. Au surplus, eût-il cent mille défauts, il y a tant de beautés qu'il réussira : voilà mon mot. J'irai vous le dire incessamment. »

Sainte-Beuve, *Nouveaux Lundis.*

II. — René et la génération romantique. — « René commence par où Salomon finit, par la satiété et le dégoût. *Vanité des vanités* ! Voilà ce qu'il se dit avant d'avoir éprouvé les plaisirs et les passions; il se le redit pendant et après; ou plutôt, pour lui, il n'y a ni passions ni plaisirs; son analyse les a décomposés d'avance, sa précoce réflexion les a décolorés. Savoir trop tôt, savoir toutes choses avant de les sentir, c'est le mal de certains hommes, de certaines générations presque entières, venues à un âge trop mûr de la société. Ce travail que l'auteur du *Génie du Christianisme* fait sur la Religion, cherchant à la trouver belle avant de la sentir vivante et vraie, à lui demander des sensations et des émotions avant de l'avoir adoptée comme une règle divine, — ce travail inquiet et plus raisonné qu'il n'en a l'air, René l'a appliqué de bonne heure à tous les objets de la vie, à tous les sujets du sentiment. Avant d'aimer, il a tant rêvé sur l'amour que son désir s'est usé de lui-même, et que lorsqu'il est en présence de ce qui devrait le ranimer et l'enlever, il ne trouve plus en lui la vraie flamme. Ainsi de tout, il a tout dévoré par la pensée, par cette jouissance abstraite, délicieuse, hélas ! et desséchante, du rêve; son esprit est lassé et comme vieilli; le besoin du cœur lui reste, un besoin immense et vague, mais que rien n'est capable de remplir....

... Tout cela dit, *René* garde son charme indicible et d'autant plus puissant. Il est la plus belle production de M. de Chateaubriand, la plus inaltérable et la plus durable; il est son portrait même. Il est le nôtre. La maladie de René a régné depuis quarante-huit ans environ; nous l'avons tous eue plus ou moins à divers degrés. Vous, jeunes gens, vous ne l'avez plus. Mais serait-ce à nous, qui l'avons partagée autant que personne, de venir ainsi vous en dire le secret et vous en révéler la misère ? S'il y a indiscrétion de notre part, l'amour de la vérité seul nous y a poussé, et aussi peut-être un reste d'esprit de René qui porte à tout dire et à se juger soi-même jusque dans les autres. Un de mes amis, qui est de cette famille, mais resté plus fidèle, s'est écrié à ce sujet (et c'est par là que nous finirons, nous plaisant, selon notre méthode, à rassembler devant vous et à vous offrir tous les témoignages) :

« Non, ce n'est jamais nous, ô René, qui parlerons de vous autrement que nous avons accoutumé : nous sommes vos fils, notre gloire est d'être appelés *votre race.* Notre enfance a rêvé par vos rêveries, notre adolescence s'est agitée par vos troubles, et le même aquilon nous a soulevés. Quand le Génie de la prière et de la foi est venu vers nous, un rameau à la main, c'est par vous qu'il nous est apparu; il avait un éclat tout nouveau qui nous a séduits. Comme vous nous avons pleuré, nous avons accueilli, puis rejeté la pensée sinistre comme vous; nous nous sommes agenouillés encore une fois devant le Dieu de nos mères, et nous avons cru un moment que nous croyions. Et quand l'orage et la bise sont revenus, nous avons encore oscillé comme vous, nous avons essayé de tous les cultes généreux et de toutes les pensées que l'imagination voudrait assembler dans un même cœur. Nos inconstances ont été les vôtres. Ne soyez jamais renié par votre race, ô René, soyez, dans cette tombe tant souhaitée, à jamais honoré par nous ! "

Sainte-Beuve, *Chateaubriand et son groupe littéraire*, T. I.

III. — Les Martyrs et le renouvellement de l'histoire. — " En 1810, j'achevais mes classes au Collège de Blois, lorsqu'un exemplaire des *Martyrs* apporté du dehors, circula dans le Collège. Ce fut un grand événement pour ceux d'entre nous qui ressentaient déjà le goût du beau et l'admiration de la gloire. Nous nous disputions le livre; il fut convenu que chacun l'aurait à son tour, et le mien vint un jour de congé à l'heure de la promenade. Ce jour-là, je feignis de m'être fait mal au pied, et je restai seul à la maison. Je lisais ou plutôt je dévorais les pages, assis devant mon pupitre, dans une salle voûtée qui était notre salle d'études, et dont l'aspect ne semblait alors grandiose et imposant. J'éprouvai d'abord un charme vague et comme un éblouissement d'imagination; mais quand vint le récit d'Eudore, cette histoire vivante de l'empire à son déclin, je ne sais quel intérêt plus actif et plus mêlé de réflexion m'attacha au tableau de la ville éternelle, de la cour d'un empereur romain, de la marche d'une armée romaine dans les fanges de la Batavie, et de sa rencontre avec une armée de Francs.

" J'avais lu dans l'histoire de France à l'usage des élèves de l'École militaire, notre livre classique : " Les Francs ou Français, déjà maîtres de Tournay et des rives de l'Escaut, s'étaient étendus jusqu'à la Somme.... Clovis, fils du roi Childéric, monta sur le trône en 481, et affermit par ses victoires les fondements de la monarchie française. " Toute mon archéologie du moyen âge consistait dans ces phrases et quelques autres de même force que j'avais apprises par cœur. Français, trône, monarchie, étaient pour moi le commencement et la fin, le fond et la forme de notre histoire nationale. Rien ne m'avait donné l'idée de ces terribles Francs de M. de Chateaubriand, parés de la dépouille des ours, des veaux marins, des urochs et des sangliers, de ce camp retranché avec des bateaux de cuir et des chariots attelés de grands bœufs, de cette armée rangée en triangle où l'on ne distinguait qu'une forêt de framées, de peaux de bêtes et des corps demi-nus. A mesure que se déroulait à mes yeux le contraste si dramatique du guerrier sauvage et du soldat civilisé, j'étais saisi de plus en plus vivement; l'impression que fit sur moi le chant de guerre des Francs eut quelque chose d'électrique. Je quittai la place où j'étais assis, et, marchant d'un bout à l'autre de la salle, je répétai à haute voix et en faisant sonner mes pas sur le pavé.

" *Pharamond ! Pharamond !* nous avons combattu avec l'épée....

... Ce moment d'enthousiasme fut peut-être décisif pour ma vocation à venir. Je n'eus alors aucune conscience de ce qui venait de se passer en moi; mon attention ne s'y arrêta pas; je l'oubliai même durant plusieurs années; mais, lorsque, après d'inévitables tâtonnements pour le choix d'une carrière, je me fus livré tout entier à l'histoire, je me rappelai cet incident de ma vie et ses moindres circonstances avec une singulière précision. Aujourd'hui, si je me fais lire la page qui m'a tant frappé, je retrouve mes émotions d'il y a trente ans. Voilà ma dette envers l'écrivain de génie qui a ouvert et qui domine le nouveau siècle littéraire. Tous ceux qui, en divers sens, marchent dans les voies de ce siècle, l'ont rencontré de même à la source de leurs études, à leur première inspiration; il n'en est pas un qui ne doive lui dire comme Dante à Virgile :

Tu duca, tu signore, e tu maestro[1].

(A. Thierry, *Récits des temps mérovingiens*. Préface, 25 février 1840.)

1. C'est toi le chef, le seigneur et le maître.

■

QUESTIONS SUR LES PAGES CHOISIES DE CHATEAUBRIAND

ATALA

Le Meschacebé. — **1.** Quels sont les différents tableaux qui composent la description? — **2.** Distinguez les détails descriptifs qui ont une valeur plastique et ceux qui ont une valeur colorée. — **3.** Par quels procédés de style Chateaubriand rend-il sensible la majesté du fleuve? — **4.** Citez des exemples de l'harmonie musicale de la phrase.

Une nuit dans la forêt vierge. — **1.** A quoi tient la poésie de ces lignes?

Le repos dans la savane. — **1.** Étudiez le mélange du sentiment poétique et du sentiment religieux dans ce texte. — **2.** Comment ce texte est-il un éloge de la vie primitive? — **3.** Par quels procédés, Chateaubriand donne-t-il au lecteur l'impression d'une nature exotique, inconnue.

L'orage dans la savane. — **1.** Ce récit vous semble-t-il naturel dans la bouche du personnage à qui l'auteur l'attribue? — **2.** Comment le style de Chateaubriand rend-il la violence et la rapidité de l'orage?

Mort d'Atala. — **1.** N'y a-t-il pas chez Chactas un mélange de sentiment religieux et d'instinct naturel? — **2.** Comparez cette scène à celle que Lamartine a évoquée dans *Le Crucifix*.

Les funérailles. — **1.** Qu'est-ce que la description du paysage ajoute, dans cette scène, aux sentiments des personnages et à l'émotion du lecteur? — **2.** Le sentiment du mystère dans cette scène. — **3.** Quels sont les thèmes romantiques qui sont indiqués dans ces pages? — **4.** Relevez des exemples de périphrases; discutez-en la justesse et l'intérêt.

RENÉ

Enfance de René. — **1.** Comment le caractère de Chateaubriand s'exprime-t-il ici? Quels sont les traits essentiels de ce caractère?

Rêveries de René. — **1.** Distinguez les divers sentiments analysés dans cette page.

La maison paternelle. — **1.** Comparez ce texte au poème de Lamartine : *La Vigne et la Maison.* — **2.** Que pensez-vous de la vérité de la scène évoquée par Chateaubriand? — **3.** Qu'est-ce qui fait la mélancolie de cette description?

GÉNIE DU CHRISTIANISME

Dessein et plan du livre. — **1.** Dégagez l'idée maîtresse du livre. — **2.** Que veut dire Chateaubriand quand il dit que la religion chrétienne est la plus *poétique?* — **3.** Prenez successivement chacun des extraits suivants et montrez comment il se rattache au dessein du livre, comment Chateaubriand justifie, par ces différents exemples, le caractère poétique qu'il attribue à la religion chrétienne.

Chant des oiseaux. — **1.** Rattachez ce passage à l'idée principale du livre. — **2.** Par quels détails cette description vous semble-t-elle naturelle? par quels autres détails est-elle recherchée?

Une nuit dans les déserts du Nouveau Monde. — **1.** Comment est composé ce tableau? Distinguez les formes, les couleurs, les diverses sensations. — **2.** Relevez et expliquez les métaphores les plus intéressantes. — **3.** Comment Chateaubriand a-t-il rendu sensible l'impression de silence?

Les trois Andromaques. — **1.** Quels sont les sentiments chrétiens que Chateaubriand attribue à l'Andromaque de Racine? — **2.** Discutez cette appréciation.

Du vague des passions. — **1.** Est-il exact, comme le dit Chateaubriand, que le sentiment qu'il analyse ici soit nouveau? — **2.** Quelles raisons, selon Chateaubriand, expliquent l'importance de la mélancolie chez les modernes? — **3.** Que pouvez-vous objecter à ce parallèle entre la vie antique et la vie moderne? L'idée que donne ici Chateaubriand de la vie antique est-elle entièrement juste?

Que la mythologie rapetissait la nature. — **1.** Quelle différence Chateaubriand fait-il dans le sentiment du divin chez les anciens et chez les modernes? — **2.** Quels rapports Chateaubriand établit-il entre le sentiment religieux et la nature? — **3.** Comment ce texte se rattache-t-il à celui qui précède?

Parallèle de la Bible et d'Homère. — **1.** Cette comparaison vous paraît-elle naturelle? Pourquoi Chateaubriand a-t-il choisi ces deux exemples? — **2.** Cherchez dans la deuxième partie du texte les détails qui s'opposent à ceux de la première partie : notez les ressemblances et les différences.

Les églises gothiques. — **1.** Pourquoi l'achitecture subit-elle l'influence du climat? — **2.** La comparaison entre l'église gothique et la forêt est-elle exacte de tous points? Qu'y a-t-il d'artificiel dans cette comparaison?

Pascal. — **1.** Quels détails dans ce portrait donnent l'idée du génie? — **2.** Comment le portrait est-il composé? Étudiez la construction de la période et montrez comment tout y est disposé en vue de l'effet final. —

3. Quelle idée l'épithète : *effrayant* ajoute-t-elle au nom *génie?*

Les ruines. — **1.** A quoi tient la poésie des ruines? — **2.** Quelles idées morales nous inspire le spectacle des ruines?

Des cloches. — **1.** Distinguez les souvenirs et les impressions qu'éveillent les cloches, en les rattachant à la vie de Chateaubriand. — **2.** Quel rapport Chateaubriand établit-il entre la voix des cloches et la mélancolie? entre la voix des cloches et le sentiment religieux?

Cimetières de campagne. — **1.** A quoi tient le charme familier de ce texte? — **2.** L'impression qu'il vous laisse est-elle triste? — **3.** Quelle leçon Chateaubriand a-t-il tirée de sa description?

LES MARTYRS

Dessein de l'ouvrage. — **1.** Ce que vous connaissez des *Martyrs* vous semble-t-il répondre au dessein que Chateaubriand s'est proposé? — **2.** Citez quelques exemples des deux *merveilleux* que Chateaubriand oppose l'un à l'autre.

Première rencontre d'Eudore et de Cymodocée. — **1.** Le paysage du début est-il un ornement étranger à l'action ou a-t-il un rapport avec les circonstances du récit et les personnages? — **2.** Comment les pensées et les sentiments de Cymodocée, ses attitudes et ses paroles, sont-ils inspirés par l'idée qu'elle incarne? — **3.** Comparez les paroles de Cymodocée et d'Eudore et montrez comment l'opposition de leurs caractères se manifeste dans leurs discours.

Combat des Romains et des Francs. — **1.** Quelle idée Chateaubriand donne-t-il du paysage au milieu duquel se trouve Eudore? Comment en fait-il ressortir les caractères particuliers? — **2.** Quels souvenirs de sa propre vie l'auteur a-t-il mêlés au début du récit? — **3.** Quelle impression veut donner Chateaubriand en décrivant les soldats francs? expliquez et justifiez cette impression. — **4.** Par quels détails cette armée diffère-t-elle d'une armée régulière comme la légion romaine? — **5.** Quel ordre Chateaubriand a-t-il suivi dans la description de l'armée franque? — **6.** Dans la description de l'ordre de bataille, vous relèverez, en les expliquant, les détails qui montrent chez les Francs la volonté indomptable de vaincre. — **7.** Par quels moyens tous les soldats des différentes armées s'excitent-ils au combat? y a-t-il, à ce point de vue, des différences entre eux? — **8.** Quel rapport y a-t-il entre le chant de guerre des Francs et l'action où ils sont engagés? — **9.** Analysez les différentes péripéties du combat. — **10.** Comparez les deux passages : *Le soleil du matin...* (p. 41) et *La nuit vint couvrir...* (p. 44) en les rattachant à l'action du récit. Comment les détails descriptifs donnent-ils plus de relief aux faits?

Velléda. — **1.** Quel est l'intérêt de cet épisode par rapport à l'action des *Martyrs?* — **2.** D'après le portrait que Chateaubriand fait de Velléda, quelle idée veut-il nous donner du personnage? — **3.** Combien y a-t-il de tableaux différents avant le discours de Velléda? montrez le pittoresque de chacun de ces tableaux. — **4.** Faire le plan du discours de Velléda, en distinguant nettement les idées et les arguments; montrez-en l'habileté.

Martyre d'Eudore et de Cymodocée. — **1.** Combien de tableaux distinguez-vous dans ce récit? — **2.** Dans chaque tableau, sur quel détail essentiel est concentré l'effet pittoresque? — **3.** Relevez quelques-unes des comparaisons contenues dans ce récit : sont-elles naturelles? par quelle intention de l'auteur pouvez-vous les justifier? — **4.** Sens et portée du mot qui termine le récit.

ITINÉRAIRE DE PARIS A JÉRUSALEM

Les ruines de Sparte. — **1.** Quels sont les sentiments de Chateaubriand en face de ces ruines? — **2.** Quel contraste y a-t-il dans la description et quelle idée l'auteur a-t-il voulu nous suggérer par ce contraste?

Athènes. — **1.** Comparez cette description d'Athènes à celle de Sparte. — **2.** Comment Chateaubriand, par la description des deux villes, a-t-il voulu rendre sensible le caractère différent des deux peuples?

Méditation sur l'Acropole. — **1.** Étudiez dans ce texte le sentiment de la couleur. — **2.** Montrez qu'il y a dans ce texte une description concrète, une évocation historique et une méditation morale; comment ces trois parties sont-elles rattachées l'une à l'autre?

Jérusalem en 1806. — **1.** Quelle idée dominante Chateaubriand veut-il nous donner de la ville? — **2.** Notez dans cette page les traits de réalismes.

LES AVENTURES DU DERNIER ABENCÉRAGE

Fête de nuit à l'Alhambra. — **1.** Comment expliquez-vous la place que tient la poésie dans ce récit? — **2.** Montrez l'opposition du caractère des deux races; notez les différences et les ressemblances.

MÉMOIRES D'OUTRE-TOMBE

Lucile. — **1.** Relevez dans ce portrait les détails qui expliquent l'affinité entre le frère et la sœur. — **2.** Expliquez l'instinct de révolte qui s'éveille chez Chateaubriand enfant.

La grand-mère de Chateaubriand. — **1.** Cherchez ce que Chateaubriand peut devoir au personnage dont il évoque ici le souvenir. — **2.** Montrez le réalisme et le pittoresque de ce portrait. — **3.** Par la façon dont il est composé, comment ce portrait contient-il, en raccourci, un tableau de mœurs de l'ancien régime?

L'éducation à Saint-Malo. — **1.** Rassemblez dans ce récit les traits du caractère de Chateaubriand. — **2.** Quelle idée Chateaubriand veut-il donner de lui-même en rappelant ses souvenirs d'enfance?

Le printemps en Bretagne. — **1.** Le sentiment de la couleur dans cette description. — **2.** Quel est l'effet dominant du tableau?

Une aventure d'écolier. — **1.** En étudiant la compostion du récit, montrez-en le caractère dramatique. — **2.** Quelles qualités et quels défauts cette aventure de jeunesse fait-elle apparaître chez Chateaubriand?

La vie à Combourg. — **1.** Quelle est l'impression dominante que Chateaubriand veut donner par sa description du château? — **2.** Que pensez-vous, d'après cette scène, des rapports des enfants avec les parents? — **3.** Comment Chateaubriand rend-il sensibles la solitude et la mélancolie qui, dès l'enfance, se sont emparées de son âme?

Caractère de Lucile. — **1.** Comparez ce que Chateaubriand dit ici de sa sœur au premier portrait de Lucile : comment le caractère indiqué dans le premier texte explique-t-il les sentiments, les goûts, le genre de vie de la jeune fille. — **2.** Quelle influence, d'après ce texte, Lucile a-t-elle eue sur l'imagination de son frère?

Joies de l'automne. — **1.** Expliquez cette prédilection de Chateaubriand pour l'automne. — **2.** Étudiez les bruits dans cette description. — **3.** Comparez cette page aux *Rêveries de René*, p. 15.

Départ pour l'Amérique. — **1.** Comment cet épisode marque-t-il dans la vie de Chateaubriand à la fois une fin et un commencement? — **2.** Quels étaient les sentiments de Chateaubriand quand il partait pour l'Amérique? — Quels sont-ils au moment où il écrit cette page?

■

SUJETS DE COMPOSITIONS FRANÇAISES PROPOSÉS AU BACCALAURÉAT :

1. — Comment doit-on comprendre cette phrase de Faguet : " Chateaubriand est la plus grande date de l'histoire littéraire de la France depuis la Pléiade. Il met fin à une évolution littéraire de près de trois siècles et de lui en naît une nouvelle qui dure encore et se continuera longtemps. "

Bacc. Clermont, 1925.

2. — Vous établirez le portrait de Chateaubriand : les désirs de sa sensibilité; — les tendances de son imagination; — le sentiment de l'honneur; — le goût de la grandeur.

Bacc. Aix-Marseille, 1931.

3. — " La littérature nouvelle fit irruption par le *Génie du Christianisme* ", écrivait Chateaubriand, appréciant, après trente-cinq ans, l'influence de ce livre célèbre, dont il ne sépare pas *Atala* et *René*.

Cette revendication vous semble-t-elle justifiée, et pourquoi? Comporte-t-elle certaines réserves?

Bacc. Dijon, 1931.

4. — Parlez de l'œuvre et de l'influence de Chateaubriand en insistant sur vos impressions personnelles à la lecture d'un de ses livres.

Bacc. Bordeaux, 1928.

5. — Vous rappelant qu'*Atala* a paru en 1801 et *René* en 1802, dites ce qui, dans les morceaux de ces œuvres que vous avez lus, a dû paraître le plus neuf lors de leur publication.

Bacc. Caen, 1932.

6. — Expliquer et commenter ce jugement de Théophile Gautier sur Chateaubriand :

" Il a restauré la cathédrale gothique, rouvert la grande nature fermée et inventé la mélancolie moderne. " Bacc. Athènes, 1933.

7. — Quelle a été l'influence littéraire de Chateaubriand?

Bacc. Paris, 1925.

8. — Examiner ce jugement de Chateaubriand sur le *Génie du Christianisme* : " Maintenant, dans la supposition que mon nom laisse quelque trace, je le devrai au *Génie du Christianisme*. Sans illusion sur la valeur intrinsèque de l'ouvrage, je lui reconnais une valeur accidentelle; il est venu juste à son moment. " (*Mémoires d'outre-tombe.*) Bacc. Montevideo, 1932.

9. — Augustin Thierry a dit, en parlant de Chateaubriand : " Tous ceux qui, en divers sens, marchent dans les voies de ce siècle, l'ont rencontré à la source de leurs études, à leur première inspiration. "

Discutez cette assertion en ce qui concerne les principaux poètes et les principaux historiens de la première moitié du XIXe siècle.

Bacc. Alexandrie, 1934.

10. — Commenter ce jugement de Nisard sur Chateaubriand : " Toutes les nouveautés durables de la première moitié du XIXe siècle en poésie, en histoire, en critique, ont reçu de lui ou la première inspiration ou l'impulsion décisive. Il a ouvert la marche, il nous a donné des goûts qui sont devenus des sciences. "

Bacc. Paris, 1932.

11. — Expliquez et appréciez ce jugement de Lamartine : " Chateaubriand fut à lui seul notre Renaissance. " (*Cours familier de Littérature*, 145e entretien.)

Bacc. Nancy, 1932.

12. — Chateaubriand a déclaré qu'à la critique stérile des défauts il était venu substituer la critique féconde des beautés.

Définissez et illustrez par des exemples ces deux formes de la critique. Dites quelle est l'attitude d'esprit qui a vos préférences et pourquoi?

Bacc. Montpellier, 1931.

13. — " Chateaubriand, disait un de ses amis, est le seul écrivain en prose qui donne la sensation du vers; d'autres ont eu le sentiment exquis de l'harmonie, mais c'est une harmonie oratoire; lui seul a une harmonie de poésie. "

Expliquez ce jugement en rappelant quelques passages de Chateaubriand qui vous ont paru particulièrement poétiques. Bacc. Alger, 1930.

14. — Sur le point de quitter Athènes pour la Terre Sainte, Chateaubriand écrit à quelqu'un de ses amis de France, Joubert ou quelque autre, et résume ses impressions (1806). Bacc. Besançon, 1925.

15. — Dans les paysages de Chateaubriand que vous avez lus et étudiés qu'est-ce qui vous a plu davantage? Bacc. Montpellier, 1925.

16. — Le sentiment de la nature chez J.-J. Rousseau, chez Chateaubriand et dans la poésie romantique. Bacc. Paris, 1926.

17. — Que pensez-vous de cette opinion d'un critique américain (Rice) : " Dans l'expression du sentiment de la nature, Rousseau n'est pas artiste, Chateaubriand le sera. " Bacc. Grenoble, 1929.

18. — Avez-vous lu un opuscule ou un fragment important d'un grand ouvrage de Chateaubriand?

Pouvez-vous en donner un résumé assez précis et en indiquer l'intérêt?

Bacc. Rennes, 1926.

19. — Quelle influence Chateaubriand exerça-t-il sur les historiens de l'école romantique? Vous vous rappellerez que la lecture des *Martyrs* fit naître en A. Thierry le goût de l'histoire et que Michelet, comme l'auteur du *Génie du Christianisme*, aima " la couleur locale ", l'art gothique, le moyen âge, les ruines de nos vieux monuments où il cherchait la vie d'alors sans doute et le génie des temps.

Bacc. Dijon, 1928.

20. — Chateaubriand a dit : " Je me suis rencontré entre deux siècles comme au confluent de deux fleuves ; j'ai plongé dans leurs eaux troublées, m'éloignant à regret du vieux rivage où je suis né, nageant avec espérance vers une rivière inconnue. "

Appliquez ce jugement à son œuvre littéraire. Bacc. Grenoble.

21. — Commenter, en prenant autant que possible des exemples, cette opinion d'un critique contemporain :

" Lamartine a fait dans le domaine de la poésie presque autant que Chateaubriand dans un empire plus vaste. Chateaubriand a renouvelé l'imagination française ; Lamartine a retrouvé les sources de la poésie tendre, noble, pure et élevée. "

Bacc. Paris.

TABLE DES MATIÈRES

TABLE DES ILLUSTRATIONS

Imprimé en France par BRODARD-TAUPIN, Imprimeur-Relieur. Coulommiers-Paris.
50187-XVII-1-4944. — Dépôt légal : n° 4607, 1er trim. 1956. — 1er dépôt en 1935.